Anna Moni

Mariangela Rapacciuolo

Scriviamo insieme!

1

Attività per lo
sviluppo dell'abilità
di scrittura

Elementare A1-A2

Anna Moni è docente di italiano presso il DEREE (The American College of Greece) dove coordina anche i corsi di lingua straniera. Collabora con l'Istituto Italiano di Cultura di Atene ed è tutor nel Master Itals di I livello dell'Università Ca'Foscari di Venezia. Si occupa dello sviluppo della produzione scritta e orale, di testing, di e-learning; è autrice di sussidi didattici ed è anche coautrice di *Preparazione al Celi 2*, edito da Edilingua.

Mariangela Rapacciuolo è docente di italiano presso il Centro Linguistico del Politecnico di Atene e presso l'Istituto Italiano di Cultura; è anche tutor e responsabile del percorso progettuale nel Master Itals di II livello dell'Università Ca'Foscari di Venezia. Si occupa di formazione docenti, valutazione, testing, programmazione e progettazione culturale. È autrice di sussidi didattici; con Edilingua ha pubblicato *Preparazione al Celi 3* e, insieme ad Anna Moni, *Preparazione al Celi 2*.

© **Copyright edizioni Edilingua**
Sede legale
Via Cola di Rienzo, 212 00192 Roma
Tel. +39 06 96727307
Fax +39 06 94443138
info@edilingua.it
www.edilingua.it

Deposito e Centro di distribuzione
Via Moroianni, 65 12133 Atene
Tel. +30 210 5733900
Fax +30 210 5758903

I edizione: ottobre 2014
ISBN: 978-88-9843-312-4
Redazione: Viviana Mirabile, Laura Piccolo, Antonio Bidetti
Impaginazione e progetto grafico: Edilingua

Edilingua
sostiene
act:onaid

Grazie all'adozione di questo libro, Edilingua adotta a distanza dei bambini che vivono in Asia, in Africa e in Sud America. Perché insieme possiamo fare molto! Ulteriori informazioni nella sezione "Chi siamo" del nostro sito.

Stampato su carta priva di acidi, proveniente da foreste controllate.

Le autrici apprezzerebbero, da parte dei colleghi, eventuali suggerimenti, segnalazioni e commenti sull'opera (da inviare a redazione@edilingua.it).

Indice

Premessa

Il volume *Scriviamo insieme! 1*, nato dalla lunga esperienza delle autrici nel campo dell'insegnamento della lingua italiana agli stranieri, si prefigge di aiutare gli studenti di livello elementare (A1-A2) a sviluppare l'abilità di scrittura. Scopo del libro è affiancare gli studenti durante il processo di scrittura, guidata e libera, incoraggiandoli a sviluppare le proprie idee con originalità, chiarezza e stile così come a produrle per iscritto nel modo adeguato, a seconda dello scopo comunicativo. La capacità di reperire idee e di saperle organizzare in una corretta forma scritta è un'abilità che si acquisisce con l'esercizio, lavorando non tanto sulla quantità delle produzioni scritte ma sul percorso che porta a queste produzioni.

Le attività presentate permettono allo studente di scoprire, in modo attivo e graduale, tecniche e strategie utili per sviluppare, ordinare ed esprimere le proprie idee nel modo più adeguato. Tra le tecniche utilizzate troviamo esclusione/inclusione, crucipuzzle, griglie, completamento di parole, frasi e brevi testi, riordino, abbinamento, incastro, costellazioni, scalette guidate, esplicitazione di connettivi; le attività sono volte alla comprensione globale e/o dettagliata dei testi, al coinvolgimento ludico e collaborativo, al perfezionamento dell'abilità di espansione testuale (da un parola alla frase e dalla frase al paragrafo) e all'esercitazione sull'uso della punteggiatura e dell'ortografia.

Grazie a tutte queste tecniche e attività, lo studente può acquisire fin dall'inizio le strategie che si riveleranno poi molto utili ed efficaci ai livelli intermedio e avanzato, quando lo stesso comincerà a cimentarsi nella scrittura di testi più complessi e impegnativi.

Il libro è stato strutturato in modo tale da dare la possibilità all'insegnante di inserire all'interno dell'unità didattica attività dedicate allo sviluppo dell'abilità di scrittura, senza portare via troppo tempo allo sviluppo delle altre abilità linguistiche.

Destinatari del libro sono tutti gli studenti, giovani e adulti, che studiano la lingua italiana a livello A1-A2, i quali desiderano sviluppare o migliorare la loro produzione scritta o prepararsi per conseguire una Certificazione linguistica.

Struttura del libro

Il volume *Scriviamo insieme! 1* è articolato in 12 unità che tengono conto degli obiettivi del Quadro Comune Europeo di Riferimento (per il livello A1-A2) e degli argomenti presenti negli esami scritti delle varie Certificazioni linguistiche. All'interno del libro troviamo indicazioni su come fare una lista, compilare un modulo, scrivere sms, e-mail, messaggi informali o una cartolina, descrivere la famiglia, le persone e la casa, scrivere in una chat, raccontare un programma al presente o al passato, raccontare una storia al presente.

Ringraziamo tutti coloro che vorranno aiutarci con i loro consigli o suggerimenti al miglioramento del libro nelle prossime edizioni.

Le autrici

Obiettivi del Quadro Comune Europeo di Riferimento, Livello A1.

Lo studente del **livello A1**: *È in grado di scrivere semplici espressioni e frasi isolate.*

Appunti, messaggi e moduli
È in grado di scrivere una lista della spesa o di oggetti di uso comune, di scrivere numeri e date, il proprio nome, nazionalità, indirizzo, età, data di nascita o di arrivo nel paese, ecc. per riempire ad esempio il modulo di registrazione o di iscrizione. È in grado di scrivere brevi messaggi di auguri, invito, ringraziamento, accettazione, rifiuto, cartoline.

Scrittura creativa
È in grado di scrivere semplici espressioni e frasi su se stesso/stessa e su persone immaginarie, sul luogo in cui vivono e ciò che fanno.

Ampiezza del lessico
Dispone di un repertorio lessicale di base fatto di singole parole ed espressioni riferibili a un certo numero di situazioni concrete.

Padronanza ortografica
È in grado di copiare parole e brevi espressioni conosciute, ad esempio avvisi o istruzioni, nomi di oggetti d'uso quotidiano e di negozi e un certo numero di espressioni correnti.

Coerenza e coesione
È in grado di collegare parole o gruppi di parole con connettivi molto elementari quali "e" o "allora".

Obiettivi del Quadro Comune Europeo di Riferimento, Livello A2.

Lo studente del **livello A2**: *È in grado di scrivere una serie di semplici espressioni e frasi legate da semplici connettivi quali "e", "ma" e "perché".*

Appunti, messaggi e moduli
È in grado di scrivere brevi e semplici appunti e messaggi riferiti a bisogni immediati. È in grado di scrivere una breve annotazione o un messaggio a persone conosciute per informare, impartire istruzioni, di fare proposte, di scrivere brevi testi di carattere personale collegando le frasi con semplici connettivi quali "e", "ma", "perché", di descrivere persone, cose o luoghi conosciuti (fisico, carattere, abbigliamento, forme e dimensioni), di descrivere esperienze personali, attività o avvenimenti presenti e passati (vacanze, feste, fatti di vita quotidiana), di scrivere un'e-mail o una breve lettera di carattere personale utilizzando in modo appropriato formule di apertura, chiusura e di saluti.

Scrittura creativa
È in grado di scrivere frasi connesse ad aspetti quotidiani del proprio ambiente, ad esempio la gente, i luoghi, un'esperienza di lavoro o di studio. È in grado di descrivere molto brevemente e in modo elementare avvenimenti, attività svolte ed esperienze personali. È in grado di scrivere una serie di espressioni e frasi semplici sulla propria famiglia, le condizioni di vita, la formazione, il lavoro attuale o quello svolto in precedenza.

Lavorare su un testo
È in grado di riprodurre parole chiave, espressioni o brevi frasi, estraendole da un breve testo che abbia attinenza con le sue limitate competenze ed esperienze.
È in grado di copiare brevi testi stampati o scritti a mano in modo chiaro.

Padronanza del lessico
Dispone di un repertorio ristretto, funzionale ad esprimere bisogni concreti della vita quotidiana.

Padronanza ortografica
È in grado di copiare brevi frasi su argomenti correnti, ad esempio le indicazioni per arrivare in un posto. È in grado di scrivere parole brevi che fanno parte del suo vocabolario orale riproducendone ragionevolmente la fonetica (ma non necessariamente con ortografia del tutto corretta).

Sviluppo tematico
È in grado di raccontare una storia o descrivere qualcosa semplicemente elencandone i punti.

Coerenza e coesione
È in grado di collegare frasi semplici usando i connettivi più usuali per raccontare una storia o descrivere qualcosa, realizzando un semplice elenco di punti. È in grado di collegare gruppi di parole con connettivi semplici quali "e", "ma" e "perché".

Fare una lista

✏ Per iniziare!

1 A coppie. Leggete le parole date e abbinate quelle che conoscete alla lista **A** o **B**. Per le parole che non conoscete, chiedete aiuto all'insegnante.

> cappello • due litri di latte • pantaloni • un chilo di pane • dentifricio • due paia di calze
> un chilo di mele • una scatola di biscotti • pesce • spazzolino da denti
> due bottiglie d'acqua • due magliette • un pacchetto di spaghetti • occhiali da sole
> bagnoschiuma • sei uova • due paia di scarpe da ginnastica • giacca
> una bottiglia d'olio • profumo • tre birre • un libro • un chilo di carne • fazzolettini di carta

A La lista della spesa: ....

....

....

....

B La mia valigia: ....

....

....

....

2 Trovate all'interno di questo crucipuzzle, in orizzontale e in verticale, le 12 parole presenti e indicate se appartengono alla lista **A** o **B**:

m	p	e	n	n	a	t	m	n	l	t
c	o	l	o	r	i	c	a	c	o	e
o	d	i	a	r	i	o	t	a	t	l
m	g	o	m	m	a	l	i	h	t	e
b	i	a	n	c	h	e	t	t	o	f
c	h	i	a	v	i	b	a	a	s	o
q	u	a	d	e	r	n	o	r	e	n
t	e	m	p	e	r	i	n	o	b	i
p	o	r	t	a	f	o	g	l	i	n
a	a	g	e	n	d	a	t	b	a	o

A Oggetti per la scuola

....

....

....

....

....

B Oggetti di una borsa

....

....

....

....

....

E questo cos'è? Scrivete il nome di questo oggetto. ....

....

....

3 **A.** Caccia all'intruso. Leggete la lista di parole e sottolineate le tre parole estranee.

occhiali • penna • cellulare • pane • scarpe • agendina
chiavi • soldi • uova • fazzolettini di carta • portafoglio

B. E ora date un nome alla lista di parole rimaste.

....

4 Leggete le parole della colonna di sinistra e abbinatele a quelle della colonna di destra.

1. un litro di
2. una bottiglia di
3. un pacchetto di
4. una scatola di
5. un paio di
6. un chilo di
7. tre paia di

a. patate
b. spaghetti
c. acqua
d. scarpe
e. cioccolatini
f. calze
g. vino

5 Ora usate le espressioni dell'esercizio 4, come *un litro di, una bottiglia di, un pacchetto di, una scatola di, un paio di, un chilo di, tre paia di...* e scrivete la vostra lista della spesa.

Un litro d'olio, ...
....
....
....
....
....

Edizioni Edilingua

6 Con quali di queste vocali terminano il singolare ed il plurale delle seguenti parole? Indicatele con ✓. Poi confrontate le vostre risposte con quelle del vostro compagno.

	O	A	I	E
1. scarp...		✓		✓
2. magli...				
3. pantalon...				
4. spaghett...				
5. profum...				
6. biscott...				
7. pan...				
8. occhial...				
9. birr...				
10. spazzolin...				

7 A gruppi osservate le immagini e scrivete il nome degli oggetti che conoscete. Chiedete aiuto all'insegnante per le parole sconosciute.

L.............................

C.............................

C.............................

P.............................

B.............................

P.............................

C..............................

M..............................

S..............................

F..............................

Quali di questi oggetti puoi trovare:

- nella lista dei regali di Natale per la famiglia e gli amici? ....
....
- nella tua borsa? ....
....

✎ Come si scrive?

8 Attenzione all'ortografia. Completate le parole delle quattro liste scrivendo le **vocali** negli spazi **rossi** e le **consonanti** negli spazi **blu**. Poi confrontate le liste con un compagno e con l'insegnante.

2 Scuola

_ u a d _ r _ o
g o _ _ a
_ a _ i t a
l _ b _ o

1 Spesa

o _ i o
p a _ e
c a _ f _
p _ m o _ o v i

3 Igiene personale

s p a _ _ o l i n _
p _ _ f u m _
d e n _ i f _ i c _ o
b _ g n _ s c h i _ m a

4 Vestiti

p a _ t _ l _ n _
_ c _ _ i a l i
_ a g _ i e _ t a
c _ p _ e l l _

✏ Scriviamo!

9 Nei due siti www.e-bay.it e www.prontospesa.it troverete tante categorie di oggetti. Dopo avere visitato queste pagine create due liste a scelta tra: regali, spese per la casa, spese personali. Dopo fatele controllare all'insegnante.

10 **A.** A coppie. A turno uno di voi sceglie una lettera dell'alfabeto e l'altro scrive sotto una parola per ogni lista. Avete cinque minuti di tempo. Poi fate controllare all'insegnante e chi trova più parole corrette vince.

Esempio: *Il compagno dice: "C".*

LA SPESA	I REGALI	L'ABBIGLIAMENTO
Cioccolata	*Cd*	*Cappello*

B. Lavorate con un compagno che ha nell'esercizio 10A una lista di oggetti diversa dalla vostra. A turno ciascuno studente legge al compagno le parole della lista e l'altro le scrive. Dopo controllate insieme se avete scritto le parole in modo corretto.

Compilare un modulo

🖊 Per iniziare!

1 A coppie. Trovate le parole all'interno del parolone e scrivetele nel modulo.

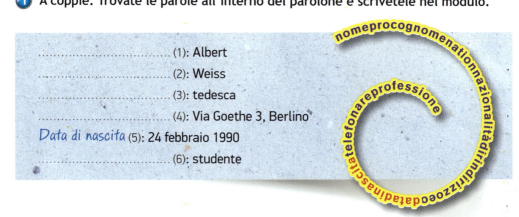

.... (1): Albert

.... (2): Weiss

.... (3): tedesca

.... (4): Via Goethe 3, Berlino

Data di nascita (5): 24 febbraio 1990

.... (6): studente

nomeprocognomenationnazionalitàdirindit izzoedatadinascitatelefonareprofessione

2 Abbinate le informazioni della colonna di sinistra a quelle di destra e controllate le vostre risposte con l'insegnante.

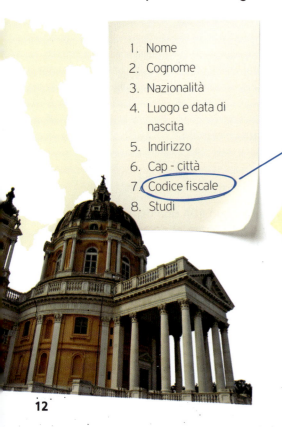

1. Nome
2. Cognome
3. Nazionalità
4. Luogo e data di nascita
5. Indirizzo
6. Cap - città
7. Codice fiscale
8. Studi

a. Via Fratelli d'Italia n. 3
b. Lucci
c. 10100 Torino
d. MRCLCC86R20L219C
e. Maria
f. Torino, 20/10/1986
g. II°anno della facoltà di Economia
h. Italiana

3 A coppie. Aiutate John, un vostro amico americano, a compilare il modulo di iscrizione ad una scuola di lingua italiana di Firenze. Qui sotto ci sono tutte le sue informazioni personali.

Mi chiamo John Carlton. Sono americano di Boston, ma ora sono a Firenze per frequentare un corso elementare di lingua italiana e abito in Via Masaccio 3, 50136. Sono nato il 30 luglio del 1978 a Boston. Il mio numero di telefono è 051-4563712 e questo è il mio indirizzo di posta elettronica: jcarl@gmail.com. A Boston io lavoro, faccio il professore di Storia dell'arte. Sono qui a Firenze per imparare bene l'italiano perché è necessario per il mio lavoro. Io parlo l'inglese, la mia lingua madre, e anche lo spagnolo. Un mio amico mi ha consigliato questa scuola di lingua italiana.

Nome (1): ....

Cognome (2): ....

Luogo di nascita (3): .... Data di nascita (gg/mm/aaaa) (4): ....

Sesso (5): M ☐   F ☐   Nazionalità (6): ....

Indirizzo (7): .... Città (8): ....

Cap (9): .... Telefono (10): ....

Indirizzo di posta elettronica (11): ....

Professione (12): ....

Lingua madre (13): ....

Altre lingue conosciute (14): ....

Conoscenza dell'italiano (15): livello elementare ☐ medio ☐ avanzato ☐

Come ha conosciuto la nostra scuola (16)? Internet ☐ amici ☐ università ☐

Perché studia l'italiano (17)? ....

⚠️ *John è americano, ma diciamo John è di nazionalità americana. Perché?*

4 Scrivete qui sotto tutte le parole nuove che avete trovato fino ad ora.

....

....

....

....

5 *Perché vuoi… ?* Abbinate le domande alle risposte.

1. Perché vuoi avere un profilo su Facebook?
2. Perché vuoi fare un corso di lingua italiana?
3. Perché vuoi fare un corso di tango?
4. Perché vuoi iscriverti a questa biblioteca?
5. Perché vuoi iscriverti a questa palestra?

a. Per fare una ricerca.
b. Perché mi piace fare ginnastica.
c. Perché voglio studiare in Italia e poi lavorare lì.
d. Perché il mio ragazzo balla molto bene.
e. Per fare nuove amicizie.

⚠ **Ricordate:** *per* + infinito.

6 Finalmente Anna ha deciso di andare in palestra! Ecco qui sotto il modulo di iscrizione, leggetelo e se non conoscete delle parole chiedete all'insegnante.

Palestra Fit

Nome: *Anna* .... Cognome: *Corsi* ....

Luogo di nascita: *Foggia* .... Data di nascita: *23/12/1990* ....

Sesso: M (F) Nazionalità: *italiana* ....

Indirizzo: *Calle dei Fabbri 3* ....

Città: *Venezia* ....

Cellulare: *3392469098* ....

E-mail: *acorsi@gmail.com** ..

Professione: *grafico* ....

Perché ti sei iscritto/a alla nostra palestra?
Per tenermi in forma e perché è vicino ....
al mio ufficio. ....

Questo simbolo @ in italiano si chiama chiocciola; questo . si chiama punto.

7 Ora provate a compilare un modulo per iscrivervi alla biblioteca comunale. Potete chiedere consiglio ai vostri compagni o all'insegnante.

Biblioteca comunale MODULO D'ISCRIZIONE

Nome

Cognome

Data di nascita

Luogo di nascita

Documento: ☐ passaporto ☐ carta d'identità

Nazionalità

Numero del documento

Indirizzo

Cap - Città

Cellulare

E-mail

Professione / Studi

Perché vuole iscriversi alla nostra biblioteca?

8 Ora potete fare anche la vostra iscrizione su Facebook in italiano. Provate!

Perché hai deciso di iscriverti su Facebook?

....
....
....
....
....
....
....
....
....

facebook

E-mail o telefono   Password   **Accedi**
☑ Resta collegato   Hai dimenticato la password?

Stai uscendo? Rimani su Facebook.
Visita facebook.com sul tuo cellulare.

Registrazione
È gratis e lo sarà sempre.

Nome   Cognome

La tua e-mail

Nuova password

Reinserisci l'e-mail

Scriviamo!

9 Un vostro amico / Una vostra amica non sa come compilare questo modulo di iscrizione a una scuola di ballo. Voi lo/la aiutate facendo delle domande e scrivendo le risposte per lui/lei.

Esempio:

Studente A: Come ti chiami?

Studente B: Mario.

Studente A: E il tuo cognome?

… … … … … … … … … … … … … …

Scuola di ballo "Danzando insieme"
Via Toledo 23 – 80132 Napoli
Tel. +39 081 8509732– Fax +39 081 8509733
E-mail: Danzandoinsieme@hotmail.it

DOMANDA DI ISCRIZIONE PER CORSO DI DANZA CLASSICA

Nome: .... Cognome: ....

Luogo di nascita: .... Data di nascita (gg/mm/aaaa): ....

Sesso: M/F   Nazionalità: ....

Indirizzo: .... Città: ....

Cap: .... Telefono: ....

Indirizzo e-mail: ....

Perché vuoi iscriverti alla nostra scuola di ballo? ....

....

Edizioni Edilingua

A. Guardate il biglietto da visita di Carla.

Ordine degli Psicologi del Veneto n. 8407
DR.SSA CARLA RUPOLI
Psicologa

Via Trasea 6, 35010, Padova
Tel: +39 0496587312
Fax: +39 0496587312, **E-mail:** crpsic@gmail.com

B. Ed ora provate a scrivere il vostro.

⚠️ **Se volete potete navigare in questo sito e creare il vostro bigliettino da visita personalizzato:** http://bigliettidavisita.iremat.it.

Scrivere messaggi

✎ Per iniziare!

1 Leggete questi messaggi e abbinateli alle foto corrispondenti. Fate attenzione perché c'è un messaggio in più.

1. Sono a casa, ti aspetto.

2. No, stasera torno molto tardi, esco con Maria.

3. Scusa, ma non posso venire da te, è già mezzanotte. Ciao.

4. Mi dispiace, ma stasera devo studiare.

5. Alle 8 al bar!

6. Congratulazioni!

7. Sì, mangiamo una pizza a casa mia?

 a

 b

 c

 d

 e

 f

2 Leggete le domande e/o le frasi che seguono e dite quali di queste possono essere abbinate ai messaggi dell'esercizio 1.

a. ...... A che ora ci vediamo?
b. ...... Dove sei?
c. ...... Andiamo al cinema stasera?
d. ...... Io torno a casa presto, e tu?
e. ...... Hai fame?
f. ...... Grazie per il regalo!
g. ...... Ti aspetto a casa mia? Rispondimi!

Edizioni Edilingua

3 Mettete in ordine le parole di questi messaggi e poi indicate nella tabella quali vanno bene per: *invitare un amico, accettare un invito, rifiutare un invito* ed *esprimere incertezza*.

1. no ı ? ı perché ....

2. mare ı ? ı andiamo ı al ....

3. so ı forse ı lo ı non ı lavoro ....

4. me ı vuoi ı con ı cinema ı ? ı al ı venire ....

5. bella ı che ı ? ı è ı idea ı a ı una ı ora ....

6. posso ı mi ı ma ı dispiace ı non ı oggi ....

a. invitare un amico	b. accettare un invito	c. rifiutare un invito	d. esprimere incertezza

4 A coppie. Tra queste parole ci sono coppie di sinonimi, di perifrasi o frasi simili. Trovatele e abbinatele.

1. Andiamo al mare?
2. Telefonami!
3. Volentieri.
4. Immediatamente.
5. Scusa, ma...
6. Non sono sicuro.
7. Con piacere.
8. Mi dispiace, ma...
9. Non lo so.
10. Subito.
11. Chiamami!
12. Vuoi venire con me al mare?

Esempio: *2. Telefonami! = 11. Chiamami!*

....

....

....

....

5 A coppie. Ricostruite le frasi seguendo l'esempio e poi scrivetele sul quaderno.

1. Ciao,	al	a casa alle 6.
2. Paolo,	torno	cinema stasera?
3. Andiamo	telefonami questa	9 dopo cena.
4. Ci	alla stazione	alle 8.
5. Arrivo	vediamo alle	sera!

6 Completate le frasi della griglia con la forma corretta del verbo.

	vuoi	venire	andiamo	vieni	
1. Ciao,					uscire questa sera?
2. Gino,					con me in piscina dopo?
3. Non posso					da te stasera.
4. A che ora					al cinema domani?

7 A coppie. Trovate le 10 parole nascoste nel crucipuzzle, in orizzontale e in verticale. Con le parole trovate, completate le frasi che seguono.

q	u	a	n	d	o	d
b	f	c	c	o	s	i
u	n	o	o	v	c	s
o	c	o	m	e	u	p
n	b	u	o	n	s	i
e	c	o	s	a	a	a
g	r	a	z	i	e	c
q	u	a	n	t	e	e

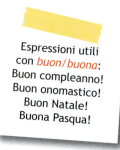

Espressioni utili con *buon/buona*:
Buon compleanno!
Buon onomastico!
Buon Natale!
Buona Pasqua!

1. .... compleanno!
2. .... ci vediamo?
3. .... sei adesso?
4. .... per il regalo, è bellissimo!
5. Buon viaggio e .... vacanze!
6. Mi .... ma oggi lavoro.
7. .... fai questa sera?
8. .... birre devo comprare?
9. ...., Maria, ma stasera arrivo in ritardo.
10. .... torni a casa stasera?

Edizioni Edilingua

8 Completate con la preposizione corretta. Attenzione: ci sono più possibilità.

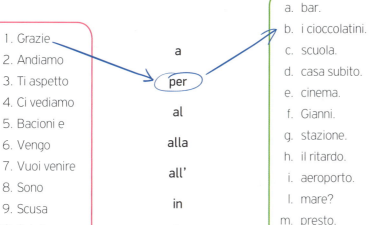

1. Grazie	a	a. bar.
2. Andiamo		b. i cioccolatini.
3. Ti aspetto	per	c. scuola.
4. Ci vediamo		d. casa subito.
5. Bacioni e	al	e. cinema.
6. Vengo	alla	f. Gianni.
7. Vuoi venire	all'	g. stazione.
8. Sono		h. il ritardo.
9. Scusa	in	i. aeroporto.
10. Saluti	da	l. mare?
		m. presto.
		n. Roma.
		o. biblioteca.

✒ Scriviamo!

9 **A.** A coppie. Scrivete un messaggio con ogni gruppo di parole.

1. onomastico, ‖ Buon ‖ Giovanni!

....

2. pizza ‖ di ‖ casa ‖ la ‖ mangio ‖ Mario. ‖ sera ‖ Domani ‖ a

....

3. sera ‖ posso, ‖ non ‖ Mi ‖ lavoro. ‖ dispiace. ‖ Questa

....

4. Roma, ‖ vi ‖ a ‖ Siamo ‖ saluti. ‖ tanti ‖ a ‖ Bacioni, ‖ presto! ‖ mandiamo

....

B. Adesso scrivete un messaggio con ogni parola.

1. venire   ....

2. preferisco   ....

3. scusa   ....

4. sono   ....

5. compleanno   ....

6. grazie   ....

C. Seguite l'esempio e scrivete alcuni messaggi ai vostri amici perché...

1. ...questa sera lavori fino a tardi e non vai alla festa.

   Scusa, ma questa sera lavoro fino a tardi e non vengo alla festa.

2. ...domani non vai in ufficio.

   ....

3. ...vuoi mangiare una pizza con Gianni.

   ....

4. ...arrivi alla stazione alle 9.

   ....

5. ...stai male, non puoi andare a teatro.

   ....

A. Scrivete su un pezzo di carta un messaggio di invito. L'insegnante raccoglie i messaggi, li mischia e li distribuisce alla classe. Scrivete sotto al messaggio d'invito una risposta e poi fate controllare il vostro messaggio all'insegnante.

◆ *Ciao, vieni al cinema stasera?*
▲ *Sì, a che ora?*

B. Scrivete su un pezzo di carta un messaggio qualsiasi e passatelo alla persona vicina. Ora ciascuno di voi ha un messaggio a cui rispondere. Dopo fate controllare il vostro messaggio all'insegnante.

Edizioni Edilingua

Scrivere una cartolina

🔩 Per iniziare!

1 Leggete il testo della cartolina e rispondete alle domande.

Venezia, 16 ottobre

Caro Piero,
sono a Venezia in vacanza, è
una città bellissima. Faccio
tante passeggiate, visito
chiese, musei e vado a teatro.
A presto,
Pia

ITALIA   € 0,65
SBARCO A MARSALA

Piero Ronchi

Via Tacito, 3

00193 Roma

1. A chi scrive Pia? ....
2. Dov'è Pia? E perché? ....
3. Cosa fa a Venezia? ....
4. Qual è l'indirizzo di Piero? ....
5. Quali parole usa Pia per iniziare e concludere la cartolina? ....
   ....

⚠️ **Ed ora osservate insieme all'insegnante quando Pia usa la *virgola*, il *punto* e le *maiuscole*.**

2 **A.** Mettete in ordine le frasi di queste tre cartoline e riscrivetele sul vostro quaderno.

Cartolina 1

.... a. Elsa
.... b. Il mare è meraviglioso!
.... c. sono in vacanza al mare in Calabria.
.... d. Cara Maria,
.... e. Un abbraccio,
.... f. Nuoto molto e vado in canoa.

Cartolina 2

.... a. Carissimo Franco,
.... b. Ti aspetto a Perugia.
.... c. questo è il mio numero di cellulare 3392469091.
.... d. Bacioni e a presto, Natalie
.... e. e frequento già i corsi all'università.
.... f. finalmente sono a Perugia, la città è molto carina.
.... g. Sto qui fino al 29 aprile,
.... h. Il programma Erasmus è molto interessante

Cartolina 3

.... a. sciamo tutto il giorno!
.... b. saluti da Cortina, un bellissimo paese di montagna.
.... c. Tiziana e Ilario
.... d. Torniamo il 3 marzo.
.... e. Ciao Marco,
.... f. Bacioni
.... g. C'è molta neve e

B. Abbinate le foto alle cartoline dell'attività 2A.

3 Leggete le cartoline dell'attività 2A e completate la tabella.

	Dove sono?	Perché?	Cosa fanno?	Come iniziano e concludono ogni cartolina?
Elsa				
Natalie				
Tiziana e Ilario				

Edizioni Edilingua

4 **A.** *In* o *a*? Completate la cartolina con le preposizioni corrette.

Cortina, 6 febbraio

Carissimo Giulio,
siamo .... (1) vacanza .... (2) montagna .... (3) Veneto, ... (4) Cortina.
La neve è meravigliosa!
Sciamo tutto il giorno e la sera andiamo
.... (5) pattinare. Mangiamo bene e molto!!!

Un abbraccio,
Elisa e Carla

Ricordate che diciamo:
in vacanza, *in* montagna,
in città, *al* mare, *al* lago.

B. E ora scrivete sulla cartolina l'indirizzo di Giulio Giotti che abita a Cesena in Via Gubbio 14, il cap è 47522.

5 A coppie. Leggete le parti di frasi e ricostruite i testi delle due cartoline.

- telefonatemi!
- sono a Roma,
- è tutto fantastico.
- Quando arrivate,
- e facciamo un corso di tedesco.
- siamo in Germania

Carissimi Carlo e Jessica, ①
....
....
....

Saluti,
Giuseppe

② Caro Giacomo,
....
....
....
Monaco è molto bella.
A presto,
Antonio e Carla

6 Mettete in ordine le frasi di tre cartoline e riscrivetele sul vostro quaderno. Fate attenzione alla punteggiatura.

①
sono ◆ Renata ◆ frequentare ◆ Cara ◆ a un ◆ per ◆ corso ◆ Roma ◆ di ◆ Mario italiano ◆ bacioni

②
Carlo e Luca ◆ siamo ◆ Cari in ◆ Anna e Giorgio ◆ montagna in ◆ presto ◆ vacanza ◆ a

③
Carissima ◆ è ◆ stupenda Carlo ◆ un ◆ abbraccio ◆ Firenze tempo ◆ è ◆ bello ◆ il ◆ e ◆ visito il ◆ degli ◆ domani ◆ Uffizi Marta ◆ museo

Scriviamo!

7 **A.** A coppie. Scrivete il testo di una cartolina con le parole *amici*, *discoteca*, *sera*, *bene*, *vacanza*.

7 **B.** Scrivete le seguenti cartoline. Quando avete finito, fatele controllare all'insegnante.

Siete in Sicilia per visitare Palermo e scrivete una cartolina al vostro amico Roberto.

① ....
....
....
....
....
....
....
....

....
....
....
....
....
....
....
....

② Siete a Monza per la Formula 1 e scrivete una cartolina a Giorgia.

....
....
....
....
....
....
....
....

③ Siete a Venezia in settembre per la Mostra del Cinema, scrivete una cartolina a Susanna.

Scrivere in una chat!

🖊 Per iniziare!

1 Leggete le parti di questa chat fra Cinzia e Paolo e mettete in ordine la conversazione.

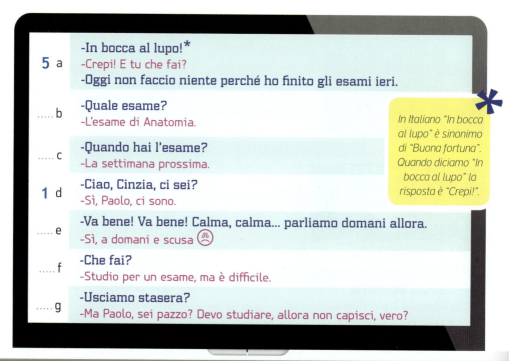

5 a
-In bocca al lupo!*
-Crepi! E tu che fai?
-Oggi non faccio niente perché ho finito gli esami ieri.

..... b
-Quale esame?
-L'esame di Anatomia.

..... c
-Quando hai l'esame?
-La settimana prossima.

1 d
-Ciao, Cinzia, ci sei?
-Sì, Paolo, ci sono.

..... e
-Va bene! Va bene! Calma, calma... parliamo domani allora.
-Sì, a domani e scusa 🙁

..... f
-Che fai?
-Studio per un esame, ma è difficile.

..... g
-Usciamo stasera?
-Ma Paolo, sei pazzo? Devo studiare, allora non capisci, vero?

> ✱ In Italiano "In bocca al lupo" è sinonimo di "Buona fortuna". Quando diciamo "In bocca al lupo" la risposta è "Crepi!".

2 Trovate all'interno di questo crucipuzzle (in orizzontale, in verticale e in diagonale) gli interrogativi utili a completare le domande che seguono.

q	c	o	s	a	d	d	m
u	c	h	e	c	i	o	e
e	n	c	i	o	d	v	c
l	a	d	e	n	o	e	o
a	q	u	a	l	e	c	m
c	q	u	a	n	t	i	e
o	q	p	e	r	c	h	é

1. .... fai?
2. .... studi?
3. .... facoltà frequenti?
4. .... finisci?
5. .... esami hai ancora?
6. .... sono le università italiane?
7. .... studi in Italia?

3 A coppie. Completate la chat immaginando di incontrare un vostro vecchio amico e di parlare dei vostri studi. Se volete, utilizzate le domande dell'esercizio 2.

8:33 PM

Ciao, Lorenzo, ma dove sei?

Sono in Italia.

Allora, in bocca al lupo per tutto!

4 Abbinate le due colonne.

1. Ho una casa nuova.

2. Oggi è il mio compleanno!

3. Ho superato l'esame!

4. L'esame è difficile, ho paura!

5. Stasera cucino il tortino di spinaci.

6. Ho un gattino di 4 mesi.

a. Bravissima! 😐

b. Ma no, devi avere coraggio!

c. Che carino! Come si chiama?

d. Che bello! Dov'è?

e. Auguri! Quanti anni compi?

f. Oh no, non mi piace.

5 Completate questi brevi dialoghi con una delle vocali suggerite sotto.

1. • "Ho superato l'esame!" • "Bravissim*a*! Devi pagare da bere!".
2. • Ecco la mia nuova auto! • Che bell......!
3.   Grazie per i cioccolatini, sono buonissim......!
4.   Sono a Roma, che città meraviglios......!
5. • Carlo e Lino hanno finito la scuola. • Che brav......!
6. • Questa è la mia sorellina. • Che carin......!

6 A coppie. Completate la chat con un vostro amico che ha comprato un'auto usata.

5:50 PM

Riccardo, ciao.

Ciao, tutto bene?

Sì, finalmente ho una nuova auto.

È .... (1)

No, non è nuova, è un'auto di seconda mano.

Quale .... (2)

È una Fiat Panda 4X4.

Di che .... (3)

È grigia.

C'è .... (4)

Sì, c'è la radio con cd.

C'è .... (5)

Sì, c'è anche l'aria condizionata.

Ma allora è .... (6)! Quando facciamo un giro insieme?

Puoi .... (7)

No, domani no, ma posso sabato.

Va .... (8)

Allora a .... (9)

Sì, ci vediamo sabato.

Edizioni Edilingua

✎ Scriviamo!

7 Siete in chat con un amico che parte dopodomani per Roma e vi chiede un consiglio su dove andare e cosa vedere.

Mario?

Un momento sono al telefono...
Ecco ho finito. Ciao Luca! Come va?

Benissimo! Domani parto per Roma.

Che bello!

Vorrei un consiglio.

Certo, cosa vuoi sapere?

Dove posso dormire* a Roma?

....
....

Preferisco l'albergo, dov'è?

....
....

È costoso questo albergo?

....
....

E per mangiare?

....
....

Quanto costa una cena per due?

....
....

Ancora una cosa, cosa devo vedere in due giorni?

....
....

Scusa un momento, suona il telefono, ritorno subito.

> ✳ Ricordate che per dare un consiglio o chiedere un'informazione possiamo usare i verbi *potere e/o dovere*:
> "Puoi stare in una pensione" e "Devi visitare la Chiesa di San Pietro", "Sai dove posso trovare Maria?"
> *Posso + infinito*
> *Puoi + infinito*
> *Devi + infinito*

8 A coppie. Un vostro amico in chat vi chiede delle indicazioni stradali per andare dal punto A (Ponte Santa Trinità) al punto B (Piazza San Lorenzo). Voi lo aiutate, basandovi sulla piantina data sotto.

- Giovanni, sei libero?
- Sì, Franco, ciao.

....
....
....
....
....
....
....
....
....
....
....
....
....
....
....

9 A coppie. Seguite le indicazioni date sotto e, sul quaderno, scrivete una chat tra gli studenti A e B.

Studente A	Studente B
• salutare	• salutare
• chiedere un favore	• rispondere alla richiesta
• invitare	• rispondere all'invito
• terminare la conversazione	• rispondere

Edizioni Edilingua

Descrivere la famiglia

✎ Per iniziare!

① A. Leggete le seguenti descrizioni e completate con le parole *molto, ma, biondi, padre, questo, piccolo, gran, più, fa, liceo.*

a   Mio .... (1) ha 47 anni, è medico, è ....
(2) buono e sempre allegro, è un po' timido.

b   La mia mamma ha 45 anni, ... (3) l'insegnante di matematica in un .... (4), è molto severa, come tutti i professori di matematica, ... (5) a casa è allegra e sorridente.

c   .... (6) è Marco, il mio fratello più ....
(7), ha 8 anni, va a scuola. È molto vivace, non è per niente timido ed è un .... (8) chiaccherone.

d   Questa sono io, la più bella e la .... (9) simpatica, vero?
In questa foto ho i capelli .... (10) ma in realtà io sono castana.

B. Abbinate le descrizioni date nell'esercizio 1A alle foto.

C. A coppie. Completate la tabella con le informazioni dei testi dell'esercizio 1A.

	età	professione	carattere
padre			
madre			
fratello			
io			

② **A. A coppie. Mettete in ordine il testo della lettera, come nell'esempio.**

..... a.
giochiamo spesso insieme.
Questa a sinistra sono io, ho 15 anni, vado al liceo e sono brava,

..... b.
buona e simpatica! Sto scherzando naturalmente.
Allora scrivimi presto!

..... c.
Noi siamo in quattro: mio padre, mia madre, mio fratello e io. Il mio
papà ha 50 anni, è architetto, è molto estroverso e sempre allegro.

1 d.
Cara Jane,
come stai?

..... e.
La mia mamma ha 35 anni, fa la biologa, è molto buona, ma alcune
volte è molto nervosa (se mi sente sono guai!!).
Questo a destra è Marco, il mio fratello più piccolo,

..... f.
Ho ricevuto la tua lettera una settimana fa e ti ringrazio per la bella
fotografia della tua famiglia che mi hai spedito.
Questa è la foto della mia famiglia.

..... g.
ha 4 anni, non va a scuola ma all'asilo. È molto vivace, non è per niente
timido e parla sempre molto. Io e lui andiamo molto d'accordo e

B. Scrivete nell'ordine corretto la lettera dell'esercizio 2A.

Pisa, 20 marzo

....
....
....
....
....
....
....
....
....
....

Ricordate che nella lettera la data e la firma vanno scritte a destra

Bacioni
Rosa

Edizioni Edilingua

3 **Abbinate il maschile con il corrispondente femminile di ogni parola.**

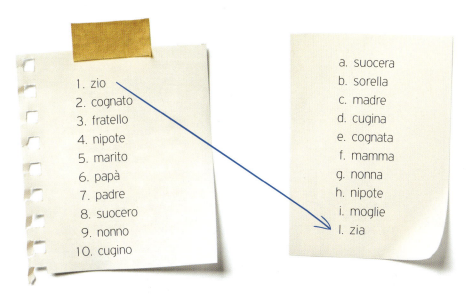

1. zio
2. cognato
3. fratello
4. nipote
5. marito
6. papà
7. padre
8. suocero
9. nonno
10. cugino

a. suocera
b. sorella
c. madre
d. cugina
e. cognata
f. mamma
g. nonna
h. nipote
i. moglie
l. zia

4 **Formate delle frasi con le parole date. Se avete bisogno d'aiuto, rileggete pure il testo della lettera dell'esercizio 2A.**

LA MIA FAMIGLIA

1. siamo - cinque

2. questa - destra - zia

3. mio - più - grande - fratello

4. padre - l'ingegnere

5. sua - sorella - grafico

6. ecco - foto - famiglia

Ricordate che diciamo: mia sorella, mia madre ma la mia sorella più piccola.

....
....
....
....
....

5 A coppie. In questa foto vedete la famiglia di Paola. Spiegate le relazioni che hanno queste persone.

Esempio: *Il ragazzo con la camicia a righe è mio cugino, il figlio del fratello di mia madre.*

6 **A.** Leggete le seguenti descrizioni e aiutatevi con le definizioni date nel *glossario* a pagina 37. Dopo sottolineate gli aggettivi che indicano, secondo voi, le caratteristiche positive di una persona.

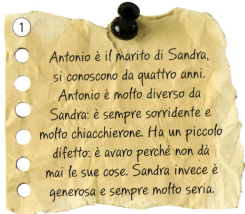

1
Antonio è il marito di Sandra, si conoscono da quattro anni. Antonio è molto diverso da Sandra: è sempre sorridente e molto chiacchierone. Ha un piccolo difetto: è avaro perché non dà mai le sue cose. Sandra invece è generosa e sempre molto seria.

2
Nella mia classe di italiano ci sono John e Lucy, sono inglesi e sono fratelli gemelli ma sono molto diversi. Lei studia molto, è chiacchierona e simpatica. John è proprio il contrario: non studia mai, è molto silenzioso e un po' antipatico.

> **GLOSSARIO**
>
> **chiacchierone:** una persona che parla molto.
> **generoso:** una persona che dà le sue cose volentieri.
> **nervoso:** una persona che perde facilmente la calma.
> **tranquillo:** una persona calma.

B. A coppie. Scrivete il contrario degli aggettivi e controllate con l'insegnante.

chiaccherone ≠ ....   generoso ≠ ....

simpatico ≠ ....   sorridente ≠ ....

Scriviamo!

7 Presentate due persone della vostra famiglia e descrivete sul vostro quaderno (50-60 parole) il loro carattere.

8 Completate questa lettera con la descrizione della vostra famiglia e le altre informazioni mancanti.

.... ,

come stai? Ecco qui la foto
della mia famiglia. Allora,

....

....

....

....

....

....

....

....

....

.... presto,

....

9 A coppie. Queste sono le foto dei vostri familiari e/o parenti che volete pubblicare su Facebook. Scrivete una breve descrizione per ogni foto.

A. ....
....
....
....

B. ....
....
....
....

C. ....
....
....
....

D. ....
....
....
....

E. ....
....
....
....

F. ....
....
....
....

Descrivere una persona

✏ Per iniziare!

1 **A coppie. Leggete i testi e indicate a quali fotografie corrispondono le descrizioni. Dopo sottolineate tutti gli aggettivi usati. Attenzione ci sono tre fotografie in più.**

1. Bianca ha 26 anni e fa la modella, è una bellissima ragazza con capelli biondi, ondulati e molto lunghi. Ha gli occhi grandi e azzurri.

3. Gaia è il classico tipo mediterraneo. Ha i capelli scuri, lunghi, ricci e li porta sciolti, gli occhi castani e una bella bocca rossa.

5. Mio padre ha 46 anni, ha la pelle molto chiara e gli occhi scuri. Ha i capelli grigi, corti e abbastanza ricci. Ha un viso sempre molto sorridente.

2. Mio fratello Piero ha un viso magro e una fronte molto alta. Ha sempre un bel sorriso e dei denti bianchissimi. Ha i capelli corti, lisci e rossi. Ha gli occhi verdi, non molto grandi ma molto belli.

4. La mia migliore amica non è molto alta ed è magra, ha i capelli cortissimi e scuri. È molto simpatica e carina.

a.

b.

c.

d.

e.

f.

g.

h.

② Osservate le immagini della griglia e abbinatele alle parole corrispondenti.

	sorriso	naso	denti	bocca	viso	fronte
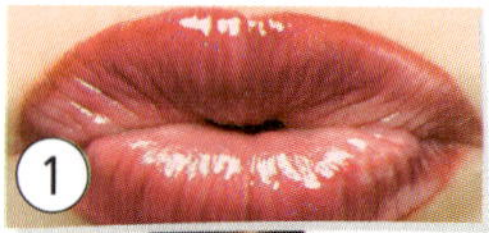 1						
 2						
 3						
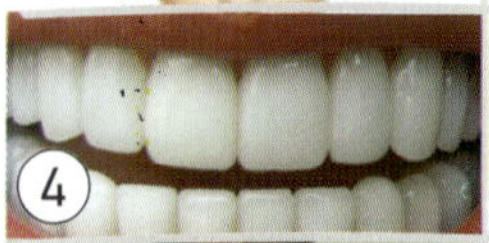 4			✓			
 5						
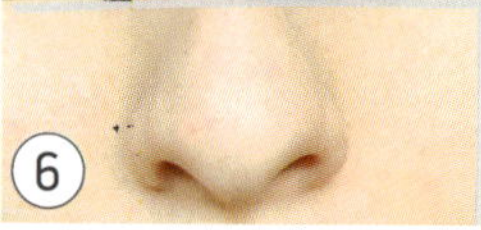 6						

③ A coppie. Rileggete le descrizioni dell'esercizio 1 e riportate su questa tabella gli aggettivi corrispondenti a ogni parola.

viso

fronte

capelli

occhi

bocca

sorriso

denti

pelle

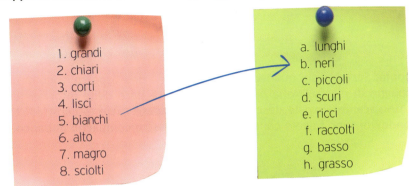

4 A coppie. Abbinate il contrario degli aggettivi, come nell'esempio.

1. grandi
2. chiari
3. corti
4. lisci
5. bianchi
6. alto
7. magro
8. sciolti

a. lunghi
b. neri
c. piccoli
d. scuri
e. ricci
f. raccolti
g. basso
h. grasso

5 Riscrivete le frasi, come nell'esempio.

Esempio: *Ha la fronte bassa.* → *Ha la fronte alta.*

1. Ha la bocca grande.
....

2. Ha un naso piccolo.
....

3. Ha gli occhi piccoli.
....

4. Ha i capelli scuri.
....

> Osservate la posizione dell'aggettivo:
> occhi *azzurri*,
> capelli *neri*,
> denti *bianchi*
> ma un *bel* sorriso.

6 Completate la descrizione di Flavio inserendo le vocali esatte.

Lui è Flavio, un ragazzo di 21 anni; è molto carin.....(1), tutte le ragazze dicono che è molto simpatic.....(2) e sono innamorat.....(3) di lui. La madre di Flavio è norveges.....(4) e il padre è italian.....(5). Flavio ha gli occhi azzurr.....(6) della madre e i capelli castan.:..(7) del padre. Ha un vis.....(8) simpatic.....(9) ed è sempre molto sorridente....(10).

7 Mettete in ordine le parti degli annunci pubblicitari.

A Cerchiamo per pubblicità di costumi da bagno
alte ı ragazze ı capelli ı con ı biondi ı e lunghi. ı grandi ı e ı azzurri ı Occhi.
....
....
....
....

B Agenzia cerca modella con
magro ı e ı fronte ı viso ı molto ı alta, sorriso ı bel ı un ı denti ı bianchissimi. rossi ı Capelli ı corti ı lisci ı e ı Occhi molto ı e ı verdi ı grandi.
....
....
....
....

8 A coppie. Scrivete sul quaderno la descrizione dell'aspetto fisico di un vostro compagno di classe. Nella descrizione dovete dare delle informazioni false. Alla fine scambiatevi le descrizioni, sottolineate tutte le caratteristiche che secondo voi sono false e controllate con il vostro compagno di banco.

✎ Scriviamo!

9 **A.** A coppie osservate la seguente fotografia e scrivete per ogni persona uno o due aggettivi relativi a: *altezza, corporatura, viso, capelli, occhi* e *carattere*.

capelli lunghi, scuri

B. E ora scrivete la descrizione dei vostri amici in questa foto.

....
....
....

10 Pensate ad un attore del cinema molto famoso e scrivete sul quaderno una breve descrizione con qualche dettaglio sulla sua carriera. Poi leggete a voce alta la vostra descrizione. Gli altri studenti dovranno indovinare il nome dell'attore. Eccovi un esempio:

Ha capelli scuri, ma non molto lunghi, e lisci. È magro e non molto alto ma è molto carino. Porta gli occhiali. Recita in molti film come "I Pirati dei Caraibi" e "La fabbrica di cioccolato". Chi è?

Mmmmm... Chi sarà?

Edizioni Edilingua

Descrivere una casa

1 Leggete attentamente la seguente e-mail e trovate le fotografie corrispondenti alla prima (I) e alla seconda (II) casa che vi sono descritte.

Da ▾	rina_mi@yahoo.it
A...	davidet@gmail.com
Cc...	
Oggetto:	casa nuova

Caro Davide,
come stai? Sono felicissima perché ho trovato una nuova casa.
Ora nel mio vecchio appartamento (I), al centro di Milano, abita una mia collega dell'università; per lei va bene perché è sola e preferisce un appartamento piccolo, centrale e in un condominio moderno.
La mia nuova casa (II), invece, è fuori Milano. È molto grande e c'è anche un piccolo giardino con un albero. Allora, al piano terra ci sono la cucina, la sala da pranzo, il salotto, un piccolo ripostiglio e un bagno. Al primo piano ci sono tre camere da letto, un grande bagno e uno studio. La casa è molto luminosa, spaziosa, comoda e molto silenziosa. È la casa ideale per chi vuole vivere in tranquillità. L'affitto è chiaramente più alto, 1000 euro al mese, però lo divido con due miei colleghi dell'università. Su Facebook puoi vedere le foto della mia nuova casa.
Perché non venite tu e la mamma a passare qualche giorno da me a Milano? Telefonami, il mio nuovo numero è 02-65789.
Ti abbraccio,
Simona

a

b

c

d

2 **A. Leggete i seguenti annunci e completate con le parole che seguono:** *palazzo, condominio, attico, villetta.*

- Torino centro – cerco appartamento in piccolo .... (1), 650 euro al mese. Tel. 011/5378294
- Cerco appartamento ammobiliato a Palermo in un .... (2) storico del centro, 700 euro al mese. Casapal@tin.it
- Milano – cerco .... (3) a due piani con giardino. Tel. 02/6189043
- Cerco grande .... (4) a Roma vicino a Castel Sant'Angelo. Tel. 06/4002881, 1800 euro

B. E ora abbinate ogni foto alla città dell'annuncio corrispondente.

a ....

b ....

c ....

d ....

3 A coppie. Rileggete la descrizione della casa di Simona, sottolineate tutte le parole relative alle stanze della casa e poi scrivete il nome corretto di ogni stanza di questo appartamento, come nell'esempio.

1. *balcone*   5. ....   9. ....

2. ....   6. ....   10. ....

3. ....   7. ....

4. ....   8. ....

4 A coppie. Quali di questi mobili e/o oggetti ci sono nell'appartamento dell'esercizio 3? Indicate sulla piantina dove sono questi oggetti.

letto • vasca da bagno • divano • poltrona • comodino • sedia • tavolo
scrivania • libreria • frigorifero • cucina • armadio • tappeto • quadro • tavolino
lavatrice • lavapiatti • lavandino • doccia • tende • lampada • lampadario
armadietto • stereo • televisione • bidè • specchio

Edizioni Edilingua

⑤ Completate le frasi usando alcune delle parole dell'esercizio 4.

1. In bagno ci sono* la vasca da bagno, ...
2. In cucina c'è* un tavolo e ....
3. In salotto ....
4. In camera da letto ....
5. Nello studio ....
6. Nel balcone ci sono ....

> *✱ Per descrivere la casa usiamo la forma del verbo c'è e ci sono: "c'è il tavolo"; "ci sono un tavolo e due sedie".*

⑥ Mettete in ordine le parti di testo di questa lettera. Controllate con l'insegnante e poi riscrivete la lettera sul quaderno.

Roma, 12 maggio

1 **a.** Cara Cristina,
come stai? Io ho una nuova casa vicino a Piazza Italia.

..... **b.** Aspetto la tua risposta.

..... **c.** una nuova doccia. Il soggiorno è a sinistra del

..... **d.** camera da letto c'è una piccola cucina con

..... **e.** Il mio nuovo appartamento è bellissimo. La mia camera

..... **f.** poltrona nera e un tavolino.

..... **g.** Allora quando vieni a vedere il mio appartamento?

..... **h.** due sedie. Il bagno è piccolo ma c'è

..... **i.** il forno elettrico, un frigo e un tavolo con

..... **l.** da letto è molto carina e ci sono un letto, una poltrona, un televisore, una scrivania, una sedia e un grande specchio. Vicino alla

..... **m.** bagno, è abbastanza grande e ci sono una libreria, un rosso divano, una

..... **n.** A presto,
Renato

⚠ **Attenzione alla preposizione:** *vicino a, a destra di, a sinistra di.*
Vicino al bagno, a destra del divano, a sinistra della poltrona.

7 A coppie. Immaginate di dovere arredare la vostra nuova casa e di dover andare in un negozio di mobili. Scrivete la lista delle cose che volete comprare.

un tappeto per il bagno

✎ Scriviamo!

8 **A.** A coppie. Scrivete la descrizione della piantina dell'appartamento dell'esercizio 3. Dovete dare delle informazioni false riguardo alle stanze, ai mobili e alla loro posizione. Quando avete finito, scambiate la vostra descrizione con quella di un'altra coppia. Cercate tutte le informazioni false e sostituitele con quelle vere.

B. Rispondete all'e-mail (60-70 parole). Prima, sottolineate il nome della persona a cui dovete rispondere e le domande alle quali dovete dare una risposta.

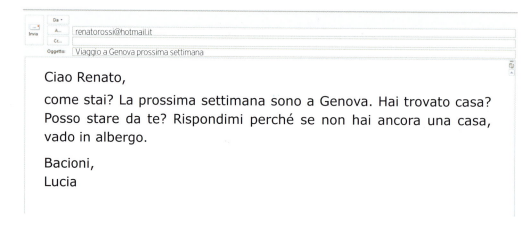

Da ▾
A... renatorossi@hotmail.it
Cc...
Oggetto: Viaggio a Genova prossima settimana

Ciao Renato,

come stai? La prossima settimana sono a Genova. Hai trovato casa? Posso stare da te? Rispondimi perché se non hai ancora una casa, vado in albergo.

Bacioni,
Lucia

Nella risposta dovete:

- salutare
- dire che avete una nuova casa e dove è
- dire che Lucia può stare a casa vostra
- descrivere brevemente la vostra casa
- concludere l'e-mail

....
....
....
....
....
....
....
....

C. **A coppie. Descrivete la casa dei vostri sogni (50-60 parole), scambiatevi le descrizioni e leggete quelle dei vostri compagni.**

....
....
....
....
....
....
....
....
....
....
....
....

....
....
....
....
....

Scrivere un programma

🔖 Per iniziare!

1 Leggete due volte il programma della giornata tipica di Davide e completatelo con le seguenti parole: *borsa, cinema, colleghi, palestra, pausa, camicia, casa, bagno, colazione, fermata.* Dopo controllate con il vostro compagno di banco.

La giornata tipica di Davide

Davide si alza alle 7.20, va in .... (1) si lava e dopo fa .... (2). Poi va in camera e si mette una .... (3) e i pantaloni. Prende la .... (4) da lavoro e alle 8.30 esce di .... (5). Davide va a piedi alla .... (6) dell'autobus e alle 9 è già in ufficio. Lavora dalle 9 alle 12.30 e dopo fa una .... (7) per il pranzo. Di solito Davide pranza con i suoi .... (8) alla mensa della sua ditta. Alle 13.15 ritorna in ufficio. Davide finisce di lavorare alle 17, ma non torna subito a casa perché prima va in .... (9) per circa un'ora e mezzo. Qualche volta, dopo la palestra, incontra la sua ragazza e insieme vanno al .... (10) o a cena al ristorante.

2 Completate il programma di Claudia con la forma corretta dei seguenti verbi al presente: *cenare, fare colazione, pranzare, fare uno spuntino, fare merenda.*

1. La mattina Claudia ....
2. Alle 10.30 ....
3. Alle 13 ....
4. Alle 16.30 ....
5. La sera ....

Edizioni Edilingua

3 A coppie. Mettete in ordine cronologico le azioni della giornata di Fernando, usando alcune delle indicazioni temporali indicate sotto. Fate come nell'esempio.

[**la mattina alle 7** • **a mezzogiorno** • **dopo** • **il pomeriggio**
la sera alle 21 • **a mezzanotte** • **e dopo** • **poi** • **alle 9**]

si veste e fa colazione

si spoglia e si mette il pigiama

pranza

1   *la mattina alle 7*   si sveglia

va a letto e si addormenta

finisce di lavorare

cena e guarda la TV

si alza e si lava

va al lavoro

4 Leggete la carriera scolastica di Paolo e completatela con alcune delle parole suggerite di seguito: *più tardi, alla fine, poi, per prima cosa, dopo, anche, e dopo, e poi*.

.... *Per prima cosa* .... (1) Paolo va all'asilo nido e

.... (2) va alla scuola materna.

.... (3) frequenta la scuola elementare

.... (4) va alla scuola media.

.... (5) frequenta il liceo

.... (6) si iscrive all'università.

.... (7) se vuole fa un master

o può .... (8) fare il dottorato

di ricerca.

.... (9) trova un lavoro.

5 A coppie. Qual è la posizione più comune degli avverbi di frequenza, **prima** o **dopo** il verbo principale? Leggete gli esempi e completate la tabella che segue.

1. Di solito vado al cinema il sabato sera.
2. Vado sempre al cinema la domenica sera.
3. Non vado mai in piscina.
4. Qualche volta esco con Francesco.
5. Vai spesso a teatro?
6. Tutte le mattine bevo il cappuccino al bar.

immediatamente prima del verbo	subito dopo il verbo
di solito vado al cinema...	vado **sempre** al cinema...

Gli avverbi formati da più di una parola vanno preferibilmente *prima del verbo*; gli avverbi di una parola sola vanno *dopo il verbo*.

6 Riscrivete, come nell'esempio, le frasi aggiungendo uno dei seguenti avverbi di frequenza: *sempre, di solito, spesso, qualche volta / alcune volte, raramente, mai*.

1. Faccio colazione al bar. *Non faccio mai* colazione.*
2. Vado in palestra. ....
3. Guardo la TV. ....
4. Studio in biblioteca. ....
5. Parlo con gli amici su Facebook. ....
6. Telefono agli amici. ....
7. La domenica lavoro. ....
8. Vado a fare spese con mia madre. ....

*
Osservate:
non vado mai al bar.
Non + verbo + mai

Edizioni Edilingua

7 Indicate con ✓ tutte le combinazioni possibili per formare delle frasi, come nell'esempio.

	da Sofia	un vecchio amico	il Museo Nazionale	al Museo Navale	i miei nonni	a fare una visita dal medico	dal professore
1. Vado a trovare		✓					
2. Visito							
3. Vado							
4. Devo andare							

8 Completate le frasi scegliendo la preposizione corretta.

1. Vado in ufficio
2. Torno a casa
3. Resto
4. Di solito viaggio
5. Spesso vado all'università
6. Preferisco andare a casa

con

in

a

autobus

ufficio fino a tardi

la moto

piedi

la bici

aereo

Ricordate:
in + autobus
ma *con* + *l'* + autobus,
in + moto
ma *con* + *la* + moto.

9 Scrivete delle frasi usando le parole date e aggiungendo quelle mancanti.

1. questa | di | ceno | amici | casa | a | sera

   ....

2. Musei Vaticani | mattina | domani | ai

   ....

3. di | casa | mattina | presto | spesso | la | esco

   ....

4. piscina mai in non per tempo ho andare

....

5. auto con la gita in Andiamo Roma tre giorni per

....

6. spese fare vado di solito il sabato con marito a mio

....

Scriviamo!

10 A coppie. Barbara e Nicola fanno una gita di un giorno a Venezia. Scrivete sul quaderno (60-80 parole) il programma usando i verbi al presente e le seguenti parole: *alle 9, Venezia, stazione Santa Lucia, a piedi, Piazza San Marco, caffè Florian, Basilica di San Marco, tramezzino, prosecco, Palazzo Ducale, qualche spesa, vaporetto, stazione Santa Lucia, treno, Verona.*

Per scrivere il programma seguite questi 4 consigli:

1. leggete con attenzione le parole date e poi scrivete delle breve frasi;
2. date un ordine logico alle vostre frasi (numeratele);
3. scrivete il programma e unite le frasi con e, o, dopo, poi, ma, perché ecc.;
4. rileggete e correggete il vostro programma controllando:
  a. l'ordine logico delle informazioni,
  b. le forme verbali,
  c. le preposizioni e gli articoli,
  d. l'ortografia.

Alle 09:00 Barbara e Nicola arrivano ....

....

....

Alle 10:30 ....

....

Alle 13:00 ....

....

11 Ora scrivete sul quaderno (60-80 parole) il programma di un vostro fine setti-mana ricordando di precisare qu*ando*, *a che ora* e *con quale frequenza* fate le cose. Potete prendere appunti qui sotto.

Sabato
30 Luglio

Domenica
31 Luglio

12 Scrivete (60-80 parole) cosa fanno Bruno e Alessandra, usando i verbi al presen-te e le parole o le frasi suggerite sotto.
Il verde indica quello che i due ragazzi fanno, il rosso indica quello che i due ragazzi non fanno, non riescono o non possono fare.
Potete seguire i consigli dati nell'esercizio 10.

lunedì mattina
treno
aeroporto di Roma Fiumicino
sfortunati
sciopero dei controllori di volo
dormire
aeroporto
martedì Barcellona

lunedì Barcellona
soldi
albergo

Rispondere a un'e-mail

✒ Per iniziare!

1 **Leggete l'e-mail che Carla ha scritto a Giorgio e completate con le parole *mille, volta, domani, a, cosa, questa, ti*.**

Invia		
	A...	Giorgio_84@libero.it
	Cc...	
	Oggetto:	partenza per Londra

Caro Giorgio,

........................(1) scrivo perché vorrei un favore. ....(2) parto per Londra ed è la prima ....(3) che viaggio in aereo. Non ho capito ....(4) posso e cosa non posso portare nel bagaglio ....(5) mano. Mi puoi rispondere appena leggi ....(6) mia e-mail?

Grazie ....(7),

Carla

PS: Non ridere di me!

2 **Ora rileggete l'e-mail di Carla e rispondete alle domande.**

1. Perché Carla scrive a Giorgio? ....
2. Cosa vuole sapere Carla? ....
3. Quando vuole una risposta? ....

3 **A coppie. mettete in ordine le parti del testo di questa lettera. Controllate con l'insegnante e poi riscrivetela sul quaderno.**

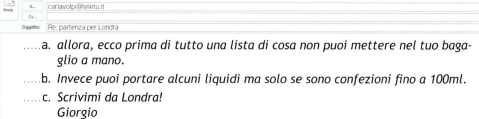

Invia		
	A...	carlavolpi@teletu.it
	Cc...	
	Oggetto:	Re: partenza per Londra

.....a. *allora, ecco prima di tutto una lista di cosa non puoi mettere nel tuo bagaglio a mano.*

.....b. *Invece puoi portare alcuni liquidi ma solo se sono confezioni fino a 100ml.*

.....c. *Scrivimi da Londra!*
Giorgio

.....d. *P.S. Devi avere con te un documento d'identità e devi spegnere il telefonino prima di salire sull'aereo!*

1 e. *Cara Carla*

..... f. *Inoltre puoi portare senza problema il tuo computer portatile e il cellulare.*

.....g. *Ti auguro buon viaggio.*

.....h. *Non puoi portare liquidi, cioè profumi, bagnoschiuma, creme, dentifrici, spray e altro se sono confezioni superiori a 100 ml, e poi non puoi portare forbici e coltelli.*

4 A coppie. Trovate nell'e-mail precedente i nomi e/o le frasi usate per gli oggetti rappresentati qui sotto.

a. ....

b. ....

c. ....

....

....

....

d. ....

e. ....

f. ....

....

....

....

g. ....

h. ....

....

....

5 Abbinate le parti di frasi con la forma verbale corretta. Dopo controllate con i compagni e l'insegnante.

1. In questo volo		portare solo un bagaglio a mano.
2. Ricorda che su questa spiaggia	**NON PUOI**	portare il tuo cane.
3. In questo museo	**DEVI**	pagare il biglietto d'entrata.
4. Prima di salire sul treno	**PUOI**	convalidare il biglietto.
5. Franco, guarda che nella metropolitana		mangiare o bere.

6 Una vostra amica vi ha chiesto alcune informazioni sulla piscina dove voi andate di solito. Leggete l'e-mail e dopo rispondete alle domande.

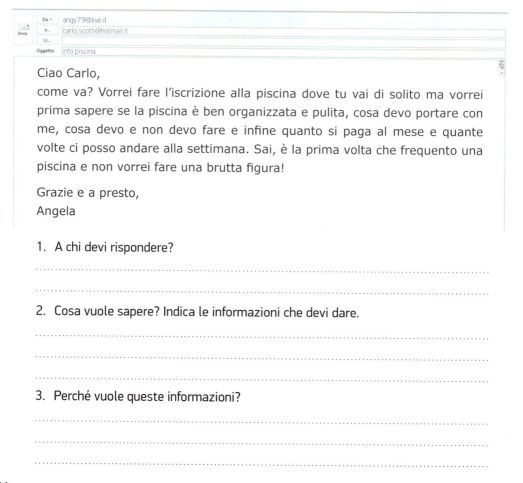

Da• angy79@live.it
A... carlo.scotti@hotmail.it
Cc...
Oggetto: info piscina

Ciao Carlo,

come va? Vorrei fare l'iscrizione alla piscina dove tu vai di solito ma vorrei prima sapere se la piscina è ben organizzata e pulita, cosa devo portare con me, cosa devo e non devo fare e infine quanto si paga al mese e quante volte ci posso andare alla settimana. Sai, è la prima volta che frequento una piscina e non vorrei fare una brutta figura!

Grazie e a presto,
Angela

1. A chi devi rispondere?

....

....

2. Cosa vuole sapere? Indica le informazioni che devi dare.

....

....

....

3. Perché vuole queste informazioni?

....

....

....

Edizioni Edilingua

7 A coppie. Prima di rispondere all'e-mail preparatevi sul vocabolario necessario per la piscina completando la griglia che segue.

	1	2	3	4	5	6	7	8
cuffia								
ciabatte da piscina								
asciugamano								
costume da bagno								
occhialini								
accappatoio								
doccia								
a piedi scalzi	✓							

8 **A.** A coppie. Rileggete l'e-mail dell'esercizio 6 e preparate una bozza della vostra e-mail di risposta con l'aiuto di questa tabella.

A chi scrivi?

Come stai?

1° informazione richiesta

2° informazione richiesta

3° informazione richiesta

4° informazione richiesta

5° informazione richiesta

Non dovete scrivere frasi complete ma solo parole o parti di frase.

Scriviamo insieme!

B. Lavorate individualmente. Usate le informazioni raccolte nell'esercizio 8A e scrivete sul vostro quaderno la vostra e-mail di risposta.

C. A coppie. Rileggete insieme le vostre e-mail e controllate se ci sono errori (lessicali, grammaticali e ortografici). Dopo consegnate la vostra e-mail all'insegnante.

✎ Scriviamo!

⑨ A. Rispondete all'e-mail di Francesca.

Da ▾	francyfrancy@hotmail.it
A...	giusy.volpe@yahoo.it
Cc...	
Oggetto:	info Canada

Cara Giusi,
sono molto contenta di partire con te per il Canada, ma ho bisogno di alcune informazioni. Che tempo fa in Canada in gennaio? È molto freddo? E cosa devo mettere in valigia? Sai, io non sono molto abituata al freddo.
Bacioni,
Francesca

Per scrivere la vostra e-mail di risposta seguite questi 5 consigli:

1. guardate le immagini che seguono e raccogliete le parole chiave necessarie;
2. dividete le informazioni tra puoi / non puoi / devi / non devi;
3. scrivete sul quaderno una prima bozza della vostra risposta;
4. scrivete la versione definitiva dell'e-mail (70-90 parole);
5. prima di consegnare all'insegnante rileggete la vostra e-mail controllando:
    a. l'ordine logico delle informazioni date,
    b. le forme verbali,
    c. le preposizioni e gli articoli,
    d. l'ortografia.

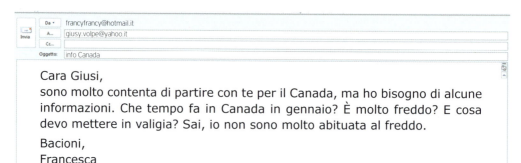

B. Rispondete all'e-mail.

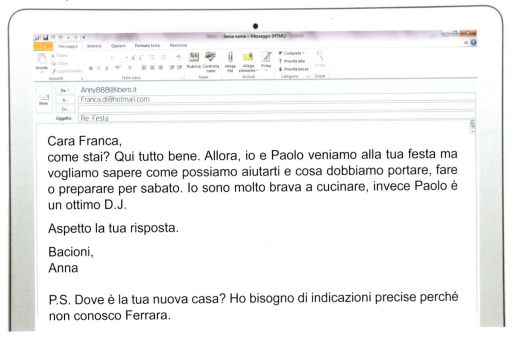

Da: Anny888@libero.it
A: Franca.dl@hotmail.com
Cc:
Oggetto: Re: Festa

Cara Franca,
come stai? Qui tutto bene. Allora, io e Paolo veniamo alla tua festa ma vogliamo sapere come possiamo aiutarti e cosa dobbiamo portare, fare o preparare per sabato. Io sono molto brava a cucinare, invece Paolo è un ottimo D.J.

Aspetto la tua risposta.

Bacioni,
Anna

P.S. Dove è la tua nuova casa? Ho bisogno di indicazioni precise perché non conosco Ferrara.

Per scrivere la vostra e-mail di risposta seguite questi 5 consigli:

1. cerchiate il nome della persona a cui dovete rispondere;
2. sottolineate le parti dell'e-mail che vi aiutano a riconoscere le informazioni da dare nella risposta;
3. preparatevi le parole chiave per le risposte e/o informazioni che dovete dare e scrivete delle brevi frasi con le parole chiave e subito dopo date un ordine logico alle informazioni;
4. scrivete la vostra e-mail (70-90 parole) unendo le frasi con i connettivi necessari (e, o, ma, perché ...);
5. correggete la vostra e-mail prima di consegnarla all'insegnante.

Raccontare al presente

🖊 Per iniziare!

1 **Leggete la storia di Miriam e le domande sotto. Sottolineate nel testo le risposte e riscrivetele di fianco a ciascuna domanda. Fate come nell'esempio.**

Miriam è una ragazza di 27 anni ed è insegnante di aerobica. È castana e ha gli occhi verdi. È magra, ma non è molto alta. Miriam lavora molto il pomeriggio e la sera perché lavora in due palestre del centro di Genova, dove insegna e abita da tre anni.

Oggi Miriam è preoccupata perché non trova il suo portafoglio. Cerca in tutta la casa, ma non riesce a trovare niente. Purtroppo si è fatto tardi e allora prende la bici e va velocemente in palestra perché alle 6 ha lezione.

Qui incontra Martino, un ragazzo della sua età che le dice che ieri sera ha trovato il suo portafoglio vicino alla sua moto. Parlano un po' e Martino le dà subito il portafoglio. Miriam ringrazia Martino e lo invita anche a cena a casa sua. Dopo cena escono e vanno insieme in un bar.

1. Chi è il/la protagonista? *La protagonista è Miriam, una ragazza di 27 anni.*

2. Cosa fa nella vita? ....

3. Dove vive? ....

4. Com'è? ....

5. Chi incontra? ....

6. Come si sente oggi? ....

7. Perché? ....

8. Come finisce la storia? ....

2 A coppie. Rileggete il testo dell'esercizio 1. A quali domande possono rispondere le frasi che non avete sottolineato? Scrivete sul quaderno le domande, come nell'esempio.

Esempio: Miriam lavora molto il pomeriggio e la sera [...] lavora in due palestre del centro di Genova [...] ⟶ *Quando e dove lavora Miriam?*

3 A coppie. Nella storia di Miriam sono usati vari connettivi*. Trovateli e scriveteli nel riquadro verde qui sotto.

....

....

....

....

* *I connettivi sono parole che servono a collegare le frasi tra di loro come: e, o ecc.*

4 A coppie. Rileggete la storia di Miriam, trovate le parole chiave* e scrivetele qui sotto. Controllate con i vostri compagni.

Chi (1° personaggio): *ragazza,* ....

Chi (2° personaggio): ....

Età: ....

Professione: ....

....

Dove: ....

....

Cosa: ....

....

Quando: ....

....

Come: ....

....

* *Sostantivi, aggettivi e nomi propri*

5 Leggete questa storia e scegliete i connettivi corretti.

Oggi Anna ha un appuntamento con Cristiano alle 10 del mattino al Castello Sforzesco. Si alza presto, fa colazione o / e / ma (1) si veste. Poi esce di casa e va alla stazione della metropolitana. Quando / Allora / Dopo (2) arriva, vede che la metro è chiusa perché / anche / ma (3) oggi c'è sciopero dei mezzi di trasporto. Quando / Allora / Ma (4) Anna torna a casa e prende la sua bici. Anna corre perché è in ritardo, arriva a uno stop, cade e si fa male. Al Castello Sforzesco Cristiano aspetta per almeno mezz'ora sotto la pioggia, e / anche / ma (5) Anna non arriva perché è all'ospedale con un braccio rotto.

6 A coppie. Leggete le domande e le parole date nella tabella che segue e scrivete sul quaderno tre brevissime storie con ogni gruppo di parole.

Prima di scrivere le storie:

a. scegliete le parole chiave necessarie per ogni frase;
b. scrivete una frase con ogni gruppo di parole scelte;
c. unite le varie frasi con uno dei connettivi trovati nell'esercizio 3 e 5.

Esempio: Carlo, figlio / sabato / parco ⟶ *Sabato Carlo va con il figlio al parco.*

Alla fine confrontate le vostre storie con quelle dei vostri compagni e poi fate controllare all'insegnante.

Chi?	Carlo, figlio	Giorgio	Lino, Cinzia
Quando?	sabato	lunedì	sabato
Dove?	parco	casa, sua ragazza, Sonia	centro
Perché?	pic nic	compleanno di Sonia	spese, regalo
Cosa?	zaino, panini e aranciata	un mazzo di fiori	maglietta, scarpe, cd
Alla fine?	cane, fame, panino	Sonia, felice, pizzeria	cinema

1 A coppie. Osservate le immagini che seguono e scrivete sul vostro quaderno la storia di Luca.

Per scrivere la storia seguite questi consigli:

a. Per ogni immagine scrivete una o due parole chiave (solo sostantivi), scrivetele sotto l'immagine corrispondente.

....

....

....

....

b. Scrivete delle frasi usando le vostre parole chiave, scrivetele qui sotto seguendo l'ordine delle foto. Raccontate la storia con il presente indicativo.

1. ....
2. ....
3. ....

la storia

4. ....
5. ....
6. ....

7. ....

c. Ora collegate le varie frasi con alcuni dei seguenti connettivi: e, o, ma, dopo, allora, perché, anche.

d. Prima di consegnare all'insegnante la vostra storia non dimenticate di controllarla e correggerla.

✎ Scriviamo!

8 Raccontate al presente (50-60 parole) una storia con queste parole: *sabato sposo, elegantissimo, Duomo, sposa, amici, parenti, macchina, benzina, male, tassì, autostop, due ore, ritardo.*

Per scrivere la vostra storia seguite questi consigli:

1. Immaginate cosa succede al protagonista e rispondete a queste domande usando alcune o tutte le parole chiave date.

Quando?...

Chi è il/la protagonista? ....

Com'è? ....

Dove?..

Cosa fa? ....

Come si sente? ....

Perché? ....

Cosa fa allora? ....

Come finisce la storia? ....

2. Decidete l'ordine logico delle informazioni e unite le frasi con alcuni dei seguenti connettivi: e, o, ma, dopo, allora, perché, anche.

....

....

....

....

....

3. Quando avete finito di scrivere la vostra storia rilassatevi per 5 minuti e poi rileggete il testo scritto e controllate con attenzione:
   a. le forme dei verbi,
   b. articoli, nomi, aggettivi (singolari, plurali / maschili, femminili),
   c. le preposizioni e gli articoli,
   d. l'ortografia.
   Dopo consegnate la storia all'insegnante.

4. Se nella vostra storia l'insegnante vi ha segnalato alcune correzioni da fare, riscrivete sul quaderno la storia correggendo gli errori.

Raccontare al passato

✎ Per iniziare!

1 Mettete in ordine il programma della giornata di Marco.

..... a.   Dopo ha telefonato a Carla, la sua ragazza, e si sono incontrati alla fermata della metro e dopo venti minuti sono arrivati all'università.

..... b.   La sera è uscito con Carla e hanno cenato in pizzeria.

1 c.   Ieri mattina alle 8 Marco ha fatto la doccia e ha fatto colazione, ha mangiato un toast, ha bevuto un cappuccino e ha ascoltato le notizie alla radio.

..... d.   Poi all'una lui e Carla hanno pranzato con gli amici, hanno preso un caffè al bar e dopo sono tornati all'università.

..... e.   All'università Marco ha seguito la lezione di Storia, invece Carla quella di Filosofia.

..... f.   Il pomeriggio Marco ha studiato in biblioteca e la sera ha fatto ginnastica in palestra.

2 Leggete le frasi della tabella e indicate con ✓ le cose che avete fatto ieri. Quando avete finito, date un ordine cronologico alla vostra giornata di ieri indicando l'ora e/o usando un'espressione temporale o avverbio di tempo come *poi, dopo, il pomeriggio, alla fine* ecc.

La mattina alle 8	ho fatto colazione e ho fatto la doccia	✓
	ho studiato in biblioteca	
	sono andato/a a lezione (la mattina)	
	ho pranzato al bar	
	ho giocato con la playstation	
	ho bevuto un caffè con amici	
	sono tornato/a a casa tardi	
	sono stato/a a casa con gli amici	
	sono stato/a in palestra	
	ho telefonato ad un amico/un'amica	

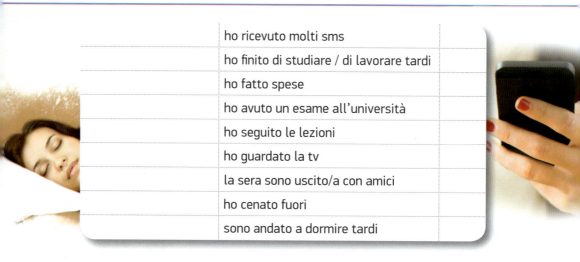

	ho ricevuto molti sms	
	ho finito di studiare / di lavorare tardi	
	ho fatto spese	
	ho avuto un esame all'università	
	ho seguito le lezioni	
	ho guardato la tv	
	la sera sono uscito/a con amici	
	ho cenato fuori	
	sono andato a dormire tardi	

3 **A coppie. Chi ha usato questi verbi, Lucia o Biagio? Completate le due e-mail con le forme verbali *siete stati, siamo andati, sono stato, sono stata, siamo stati, ho incontrato, sei partito, sono tornata, abbiamo visitato*.**

A

Da •	lucylucy90@libero.it
A...	Francesco-simone@teletu.it
Cc...	
Oggetto:	viaggi

Caro Francesco,

.... (1) da Roma, che città meravigliosa! Lì .... (2) Ugo e Cinzia e insieme .... (3) tanti musei. .... (4) molto bene insieme a loro. E tu che hai fatto? Alla fine .... (5) per Londra?

Bacioni,

Lucia

B

Da •	biagio2000@live.it
A...	saretta.sa@hotmail.it
Cc...	
Oggetto:	vacanze

Cara Sara,

.... (6) in vacanza con Roberta, Lucio e Anna. .... (7) molto bene insieme, ... (8) a New York e Boston. Dove .... (9) tu e Luigi?

Scrivimi presto!

Bacioni,

Biagio

4 **Leggete i due testi con attenzione e completateli con le parti mancanti.**

Ricorda di inserire il verbo ausiliare e la desinenza del participio passato o / a / i / e

A Mario: Ieri *sono* andato (1) all'università, ... seguit...... (2) la lezione di Economia, poi .... studiat..... (3) per due ore in biblioteca. Nel pomeriggio .... bevut..... (4) un caffè con gli amici. .... tornat..... (5) a casa alle 8.

B Ieri Carla .... tornat..... (6) a casa tardi perché .... avut..... (7) lezione fino alle 8. Poi .... andat..... (8) al ristorante alle 9 e .... cenat..... (9) con gli amici. .... arrivat..... (10) a casa alle 2 ed .... andat..... (11) subito a letto.

5 **A coppie. Trasformate i due testi dell'esercizio 4 al plurale.**

A Ieri Marco e Paolo sono..
....
....
....
....
....
....

Quando avete finito di scrivere, fermatevi un momento a controllare bene la forma dell'ausiliare usato e la forma del participio passato (*o / a / i / e*).

B Ieri io e Carla siamo..
....
....
....
....
....
....

Scriviamo insieme!

6 A coppie. Leggete il testo di questa chat tra Mario e Giovanna e completate con le informazioni mancanti. Dopo controllate con la classe e l'insegnante.

- Ciao, Giovanna, ci sei?
- Sì, Mario, ciao.
- Senti, ma perché ieri non .... (1) a casa mia?
- Scusa ma ieri .... (2) molte cose da fare, alle 9 .... (3), alle 11 .... (4), dall'una alle 4 .... (5), poi alle 5 .... (6) e alle 8 sono andata dal medico con mia madre. Sono .... (7) a casa alle 10 e mezza.
- Sì, va bene, sempre le solite scuse!!!
- Dai, tu non mi credi mai. Ieri .... (8) veramente una giornata incredibile.
- Giovanna, veramente non so cosa dire, ora devo .... (9), ciao, ciao.
- Ma, Mario, ascolta ...

7 Rispondete a questo sms e poi controllate con il vostro compagno e l'insegnante.

....
....
....
....

Maria, ma cosa è successo? Ti ho aspettato per un'ora, voglio una spiegazione.

8 A coppie. Cosa è successo? Raccontate queste due storie al passato. Per ogni storia dovete scrivere tre frasi con le parole date. Alla fine controllate con la classe e l'insegnante.

A
1. ieri • Ada • lavoro • metro
2. metro • uomo • borsa
3. allora • polizia

....
....
....

B
1. martedì • Paola • stazione • treno Roma
2. ma • treno • Milano
3. allora • prima stazione • altro biglietto • Roma

....
....
....

Edizioni Edilingua

✎ Scriviamo!

9 **A.** Queste sono le foto delle vostre vacanze che avete pubblicato su Facebook. Scrivete per ogni foto una didascalia utilizzando tutte o alcune delle parole date e la forma del verbo al passato prossimo, come nell'esempio.

[Isola d'Elba ◆ pallavolo ◆ albergo ◆ piscina ◆ vacanza ◆ bellissima ◆ sole ◆ windsurf
immersioni ◆ spiaggia ◆ bagni ◆ bar della spiaggia ◆ molti cruciverba ◆ amici ◆ ristorante
club ◆ domenica ◆ nave ◆ Livorno.]

a

Sono andato(a) all'Isola d'Elba con i miei amici.

b

....
....

c

....
....

d

....
....

e

....
....

f

....
....

g

....
....

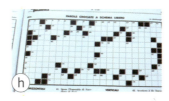

h

....
....

i

....
....

l

....
....

m

....
....

n

....
....

B. E ora utilizzate le didascalie dell'esercizio 9A e scrivete sul quaderno un'e-mail (60-80 parole) ad un/a amico/a per raccontare le vostre vacanze.

Chiavi degli esercizi

Unità 1. Fare una lista

(1) **A:** *La lista della spesa:* due litri di latte, un chilo di pane, dentifricio, un chilo di mele, una scatola di biscotti, pesce, spazzolino da denti, due bottiglie d'acqua, un pacchetto di spaghetti, bagnoschiuma, sei uova, una bottiglia d'olio, tre birre, un chilo di carne, fazzolettini di carta; **B:** *La mia valigia:* cappello, pantaloni, due paia di calze, due magliette, occhiali da sole, bagnoschiuma, due paia di scarpe da ginnastica, giacca, profumo, un libro, spazzolino da denti, dentifricio.

(2)

m	p	e	n	n	a	t	m	n	l	t
c	o	l	o	r	i	c	a	c	o	e
o	d	i	a	r	i	o	t	a	t	l
m	g	o	m	m	a	l	i	h	t	e
b	i	a	n	c	h	e	t	t	o	f
c	h	i	a	v	i	b	a	a	s	o
q	u	a	d	e	r	n	o	r	e	n
t	e	m	p	e	r	i	n	o	b	i
p	o	r	t	a	f	o	g	l	i	n
a	a	g	e	n	d	a	t	b	a	o

A: lista di oggetti per la scuola: penna, colori, matita, diario, gomma, bianchetto, quaderno, temperino; **B: lista degli oggetti di una borsa:** portafogli, chiavi, agenda, telefonino, penna.

Il nome corretto dell'oggetto della foto è *temperamatite/temperino.*

(3) **A.** *cellulare, scarpe, uova.*
B. *oggetti in una borsa / uno zaino/zainetto.*

(4) *1. c (g), 2. g (c), 3. b, 4. e, 5. f (d), 6. a, 7. d (f)*

(5) Risposta libera

(6) *1. A/E, 2. A/E, 3. E/I, 4. O/I, 5. O/I, 6. O/I, 7. E/I, 8. E/I, 9. A/E, 10. O/I.*

(7) 1. **L**ibro, 2. **C**d, 3. **C**ellulare, 4. **P**ortafoglio/Portafogli, 5. **B**orsa, 6. **P**rofumo, 7. **C**hiavi, 8. **M**aglietta, 9. **S**carpe (da ginnastica), 10. **F**azzolettini di carta.

(8) 1. **spesa**: olio, pane, caffè, pomodori; 2. **scuola**: quaderno, gomma, matita, libro; 3. **igiene personale**: spazzolino, profumo, dentifricio, bagno schiuma; 4. **vestiti**: pantaloni, occhiali, maglietta, cappello.

(9) Risposta libera

(10) **A.** Risposta libera
B. Risposta libera

Unità 2. Compilare un modulo

(1) 1. Nome, 2. Cognome, 3. Nazionalità, 4. Indirizzo, 5. *Data di nascita*, 6. Professione.

(2) *1. e, 2. b, 3. h, 4. f, 5. a, 6. c, 7. d, 8. g*

(3) 1. John, 2. Carlton, 3. Boston, 4. 30/07/1978, 5. M, 6. americana, 7. Via Masaccio 3, 8. Firenze, 9. 50136, 10. 051-4563712, 11. jcarl@gmail.com, 12. professore di Storia dell'arte, 13. inglese, 14. spagnolo, 15. livello elementare, 16. amici, 17. È necessario per il mio lavoro.

(4) Risposta libera

(5) 1. e, 2. c, 3. d, 4. a, 5. b

(6) Attività di lettura

(7) Risposta libera

(8) Risposta libera

(9) Risposta libera

(10) **A.** Attività di lettura
B. Risposta libera

Unità 3. Scrivere messaggi

(1) 1. a, 2. c, 3. b, 4. e, 5. d, 7. f

(2) 1. b, 2. d, 3. g, 4. c, 5. a, 6. f, 7. e

(3) **invitare un amico**: 4. Vuoi venire al cinema con me?, 2. Andiamo al mare?; **accettare un invito**: 5. È una bella idea. A che ora?, 1. Perché no?; **rifiutare un invito**: 6. Mi dispiace, ma oggi non posso.; **esprimere incertezza**: 3. Non lo so, forse lavoro.

(4) 1 = 12, 2 = 11, 3 = 7, 4 = 10, 5 = 8, 6 = 9.

(5) 1. Ciao, telefonami questa sera!, 2. Paolo, torno a casa alle 6., 3. Andiamo al cinema stasera?, 4. Ci vediamo alle 9 dopo cena., 5. Arrivo alla stazione alle 8.

(6) 1. vuoi, 2. vieni, 3. venire, 4. andiamo.

(7)

q	u	a	n	d	o	d
b	f	c	c	o	s	i
u	n	o	o	v	c	s
o	c	o	m	e	u	p
n	b	u	o	n	s	i
e	c	o	s	a	a	a
g	r	a	z	i	e	c
q	u	a	n	t	e	e

1. Buon, 2. Quando, 3. Dove, 4. Scusa, 5. buone, 6. dispiace, 7. Cosa, 8. Quante, 9. Grazie, 10. Come

(8) **Grazie** per i cioccolatini. /da Gianni. /a Gianni. /a presto.; **Andiamo** al bar. / a scuola. / a casa subito. / al cinema. / da Gianni. / alla stazione. / in stazione. / in aeroporto. / all'aeroporto. / al mare? / a Roma. / in biblioteca. / alla biblioteca.; **Ti aspetto** al bar. / a scuola. / a casa subito. / al cinema. / da Gianni. / in stazione. / alla stazione. / in aeroporto. / all'aeroporto. / al mare?/ in biblioteca. / alla biblioteca.; **Ci vediamo** al bar. / a scuola. / a casa subito. / al cinema. / da Gianni. / alla stazione. / in stazione. / in aeroporto. / all'aeroporto. / al mare? / a Roma. / in biblioteca. / alla biblioteca.; **Bacioni** e a presto.; **Vengo** al bar. / a scuola. / a casa subito. / al cinema. / da Gianni. / alla stazione. / in stazione. / in *aeroporto. / all'aeroporto. / al mare? / a Roma. / in biblioteca. / alla biblioteca.; **Vuoi venire** al bar. / a scuola. / a casa subito. / al cinema. / da Gianni. / alla stazione. / in stazione. / in aeroporto. / all'aeroporto. / al mare? / a Roma. / in biblioteca. / alla biblioteca.; **Sono** al bar. / a scuola. / a casa subito. / al cinema. / da Gianni. / alla stazione. / in stazione. / in aeroporto. / all'aeroporto. / a Roma. / in biblioteca. / alla biblioteca.; **Scusa** per i cioccolatini. / per il ritardo.; **Saluti** da Gianni. / a Gianni. / a presto. / da Roma.*

⑨ **A.** *1. Buon onomastico Giovanni!, 2. Domani sera mangio la pizza a casa di Mario., 3. Questa sera non posso, lavoro. Mi dispiace., 4. Siamo a Roma, vi mandiamo tanti saluti. Bacioni, a presto!*
   B. Risposta libera
   C. Risposta libera

⑩ **A.** Risposta libera
   B. Risposta libera

Unità 4. Scrivere una cartolina

① *1. Pia scrive a Piero., 2. Pia è a Venezia. / È a Venezia in vacanza. / Pia è a Venezia perché è in vacanza., 3. Fa tante passeggiate, visita chiese, musei e va a teatro., 4. Il suo indirizzo è Via Tacito, 3, 00193 Roma., 5. Caro Piero - A presto, Pia / Caro Piero - A presto, Pia.*

② **A.** ***Cartolina 1:*** *a. 6, b. 3, c. 2, d. 1, e. 5, f. 4;* ***Cartolina 2:*** *a. 1, b. 7, c. 6, d. 8, e. 4, f. 2, g. 5, h. 3;* ***Cartolina 3:*** *a. 4, b. 2, c. 7, d. 5, e. 1, f. 6, g. 3.*
   B. *a - 1, b - 2, c - 3 - a - 1, c - 2, b - 3.*

③ *1. **Elsa**: è al mare in Calabria; è in vacanza; nuota molto e va in canoa; Cara Maria, - Un abbraccio, Elsa.; 2. **Natalie**: è a Perugia all'università; frequenta il programma Erasmus; frequenta i corsi all'università; Carissimo Franco, - Bacioni e a presto, Natalie.; 3. **Tiziana ed Ilario**: sono a Cortina in montagna; sono in vacanza; sciano tutto il giorno; Ciao Marco, - Bacioni, Tiziana e Ilario.*

④ **A.** *1. in, 2. in, 3. in, 4. a, 5. a.*
   B. *Giulio Giotti, Via Gubbio 14 - 47522 Cesena*

⑤ *1. Carissimi Carlo e Jessica,*
   sono a Roma. Tutto è fantastico. Quando arrivate, telefonatemi!
   Saluti,
   Giuseppe
   2. Caro Giacomo,
   siamo in Germania e facciamo un corso di tedesco.
   Monaco è molto bella.
   A presto,
   Antonio e Carla

⑥ *1. Cara Renata,*
   sono a Roma per frequentare un corso di italiano.
   Bacioni,
   Mario
   2. Cari Carlo e Luca,
   siamo in montagna in vacanza.
   A presto,
   Anna e Giorgio

3. *Carissima Marta,*
Firenze è stupenda e il tempo è bello, domani visito il museo degli Uffizi.
Un abbraccio,
Carlo

7 **A.** Risposta libera
B. Risposta libera

Unità 5. Scrivere in una chat

1 *1. d, 2. f, 3. b, 4. c, 5. a, 6. g, 7. e*

2

q	c	o	s	a	d	d	m
u	c	h	e	c	i	o	e
e	n	c	i	o	d	v	c
l	a	d	e	n	o	e	o
a	q	u	a	l	e	c	m
c	q	u	a	n	t	i	e
o	q	p	e	r	c	h	é

1. Cosa/che, 2. Cosa/Che/Dove, 3. Quale/che?, 4. Quando, 5. Quanti, 6. Come, 7. Perché/Cosa/Che.

3 Risposta libera

4 *1. d, 2. e, 3. a, 4. b, 5. f, 6. c*

5 *1. bravissima, 2. bello, 3. buonissimi, 4. meravigliosa, 5. bravi, 6. carina.*

6 *1. nuova?, 2. auto/macchina è?, 3. colore (è)?, 4. lo stereo / la radio?, 5. l'aria condizionata?, 6. fantastico/meraviglioso, 7. domani?, 8. bene per sabato (allora)!, a sabato / ci vediamo!*

7 Risposta libera

8 Risposta libera

9 Risposta libera

Unità 6. Descrivere la famiglia

1 **A.** *1. padre, 2. molto, 3. fa, 4. liceo, 5. ma, 6.Questo, 7. piccolo, 8. gran, 9. più, 10. biondi.*
B. *1. c, 2. b, 3. a, 4. b.*
C. **padre:** *47 anni, medico, buono / (sempre) allegro / (un po') timido;* **madre:** *45 anni, insegnante di matematica, (molto) severa - allegra / sorridente;* **fratello:** *8 anni, -, vivace / (per niente) timido / chiaccherone;* **io:** *-, -, simpatica.*

2 **A.** *1. d, 2. f, 3. c, 4. e, 5. g, 6. a, 7. b*
B. *Cara Jane,*
come stai?
Ho ricevuto la tua lettera una settimana fa e ti ringrazio per la bella fotografia della tua famiglia che mi hai spedito. Questa è la foto della mia famiglia. Noi siamo in quattro: mio padre, mia madre, mio

fratello e io. Mio papà ha 50 anni, è architetto, è molto estroverso e sempre allegro. Mia mamma ha 35 anni, fa la biologa, è molto buona, ma alcune volte è molto nervosa (se mi sente sono guai!!). Questo a destra è Marco, il mio fratello più piccolo, ha 4 anni, non va a scuola ma all'asilo. È molto vivace, non è per niente timido e parla sempre molto. Io e lui andiamo molto d'accordo e giochiamo spesso insieme. Questa a sinistra sono io, ho 15 anni, vado al liceo e sono brava, buona e simpatica! Sto scherzando naturalmente.
Allora scrivimi presto!

(3) *1. l, 2. e, 3. b, 4. h, 5. i, 6. f, 7. c, 8. a, 9. g, 10. d*

(4) *1. In famiglia siamo in cinque, 2. Questa a destra è mia zia, 3. Questo è il mio fratello più grande, 4. Mio padre fa l'ingegnere, 5. Sua sorella è grafico, 6. Ecco le foto della mia famiglia.*

(5) Risposta libera

(6) **A.** *1: sorridente, chiaccherone, generosa; 2: studiosa, estroversa, chiaccherona e simpatica.*

B. *chiaccherone ≠ silenzioso, simpatico ≠ antipatico, generoso ≠ avaro, sorridente ≠ serio.*

(7) Risposta libera

(8) Risposta libera

(9) Risposta libera

Unità 7. Descrivere una persona

(1) *1. c, 2. a, 3. f, 4. d, 5. g*

(2) *1. bocca, 2 . viso, 3 . fronte, 4. denti, 5. sorriso, 6. naso.*

(3) **viso:** *magro, sorridente;* **fronte:** *(molto) alta;* **capelli:** *biondi, ondulati, (molto) lunghi; corti, lisci, rossi; scuri, lunghi, ricci, sciolti; grigi, corti, (abbastanza) ricci; cortissimi, scuri;* **occhi:** *grandi, azzurri; verdi, (non molto) grandi, (molto) belli; castani; scuri;* **bocca:** *bella, rossa;* **sorriso:** *bel;* **denti:** *bianchissimi;* **pelle:** *(molto) chiara.*

(4) *1. c, 2. d, 3. a, 4. e, 5. b, 6. g, 7. h, 8. f*

(5) *Ha la fronte alta., 1. Ha la bocca piccola., 2. Ha un naso grande., 3. Ha gli occhi grandi., 4. Ha i capelli chiari.*

(6) *1. carino, 2. simpatico, 3. innamorate, 4. norvegese, 5. italiano, 6. azzurri, 7. castani, 8. viso, 9. simpatico, 10. sorridente.*

(7) **A:** **Cerchiamo per pubblicità di costumi da bagno** *ragazze alte con capelli biondi e lunghi. Occhi grandi e azzurri;* **B:** **Agenzia cerca modella con** *viso magro e fronte molto alta, un bel sorriso e denti bianchissimi. Capelli rossi lisci e corti. Occhi verdi e molto grandi.*

(8) Risposta libera

(9) **A.** Risposta libera
B. Risposta libera

(10) Risposta libera

Unità 8. Descrivere una casa

(1) *a . I, c. II*

(2) **A.** *1. condominio, 2. palazzo, 3. villetta, 4. attico.*
B. *a. Roma, b. Milano, c. Torino, d. Palermo*

(3) *1. balcone, 2. camera da letto, 3. cameretta / camera da letto, 4. cucina, 5. salone / salotto, 6. soggiorno, 7. corridoio, 8. entrata, 9. bagno, 10. bagno.*

(4) *Risposte possibili: il letto è in camera da letto, la vasca da bagno è i bagno, il divano è in salotto/ soggiorno, la poltrona è in soggiorno/salotto, il comodino è in camera da letto, l asedia è in cucina, il tavolo è in cucina ma anche in salotto, ...*

(5) *Risposte possibili:* **1. In bagno ci sono la vasca da bagno**, *la doccia, il lavandino, il bidè, la lavatrice, uno specchio e un tappeto,* **2. In cucina c'è un tavolo e** *ci sono il frigorifero, il lavandino e le sedie;* **3. In salotto** *ci sono i quadri e il divano,* **4.In camera da letto** *c'è l'armadio;* **5. Nello studio** *c'è la libreria / ci sono la libreria e la lampada,* **6. Nel balcone ci sono** *la lavatrice e il tappeto.*

(6) *1.a, 2. e, 3. l, 4. d, 5. i, 6. h, 7. c, 8. m, 9. f, 10. g, 11. b, 12. n*

(7) Risposta libera

(8) **A.** Risposta libera
B. Risposta libera
C. Risposta libera

Unità 9. Scrivere un programma

(1) *1. bagno, 2. colazione, 3. camicia, 4. borsa, 5. casa, 6. fermata, 7 pausa, 8. colleghi, 9. palestra, 10. cinema.*

(2) *1. fa colazione, 2. fa uno spuntino, 3. pranza, 4. fa merenda, 5. cena.*

(3) **1.** *La mattina alle 7 - si sveglia, 2. poi (dopo) - si alza e si lava, 3. e dopo (e poi) - si veste e fa colazione, 4. alle 9 - va al lavoro, 5. a mezzogiorno - pranza, 6. il pomeriggio - finisce di lavorare e torna a casa, 7. la sera alle 21 - cena e guarda la tv, 8. dopo (poi) - si spoglia e si mette il pigiama, 9. a mezzanotte - va a letto e si addormenta.*

(4) *1. Per prima cosa, 2. poi (dopo), 3. Dopo (Poi), 4. e poi, 5. Dopo (Poi), 6. e poi (e dopo), 7. Più tardi, 8. anche, 9. Alla fine.*

(5) *immediatamente prima del verbo:* **1. Di solito** *vado al cinema...,* **4. Qualche volta** *esco...,* **6. Tutte le mattine** *bevo...; subito dopo il verbo: 2. Vado* **sempre***..., 3. Non vado* **mai***..., 5. Vai* **spesso** *...*

(6) Risposta libera

(7) *1. un vecchio amico / i miei nonni, 2. il Museo Nazionale , 3. da Sofia / al Museo Navale / a fare una visita dal medico / dal professore, 4. da Sofia / al Museo Navale / a fare una visita dal medico / dal professore.*

(8) *1. in autobus / con la moto / a piedi / con la bici, 2. in autobus / con la moto / a piedi / con la bici, 3. fino a tardi, 4. in autobus / con la moto / in aereo, 5. in autobus / con la moto / a piedi / con la bici, 6. in autobus / con la moto / a piedi / con la bici.*

(9) *1. Questa sera ceno a casa di amici., 2. Domani mattina andiamo ai Musei Vaticani., 3. Spesso la mattina esco di casa presto., 4. Non ho mai tempo per andare in piscina., 5. Andiamo per tre giorni in gita con la mia auto., 6. Di solito vado a fare spese il sabato con mio marito.*

(10) Risposta libera

(11) Risposta libera

(12) Risposta possibile: *Lunedì Bruno e Alessandra prendono il treno per l'aeroporto di Roma Fiumicino perché alle 10 devono prendere l'aereo per Barcellona. Bruno e Alessandra sono sfortunati e non partono perché lunedì c'è uno sciopero dei controllori di volo. Devono dormire in aeroporto perché non hanno i soldi per l'albergo e finalmente martedì partono per Barcellona.*

Unità 10. Rispondere a un'e-mail

(1) *1. ti. 2. Domani, 3. volta, 4. cosa, 5. a, 6. questa, 7. mille.*

(2) **1.** Carla scrive a Giorgio per chiedere un favore, **2.** Carla vuole sapere cosa può portare o non può portare nel bagaglio a mano, **3.** Appena Carlo legge l'e-mail.

(3) *1. e, 2. a, 3. h, 4. b, 5. f, 6. g, 7. c, 8. d*

(4) *a. profumo, b. forbici, c. bagaglio (a mano)/ valigia, d. dentifricio, e. computer portatile, f. coltello, g. cellulare / telefonino, f. crema*

(5) *1. puoi, 2. non puoi, 3. devi, 4. devi, 5. non puoi.*

(6) *1. Devo rispondere ad Angela., 2. sapere se la piscina è ben organizzata e pulita, cosa portare in pisicina, cosa è possibile fare e cosa no, quanto si paga al mese, quante volte a settimana può andare, 3. Perché è la prima volta che frequenta la piscina e non vuole fare una brutta figura.*

(7) *1. a pièdi scalzi, 2. asciugamano, 3. ciabatte da piscina, 4. cuffia, 5. occhialini, 6. costume da bagno, 7. doccia, 8. accappatoio.*

(8) **A.** Risposta libera
B. Risposta libera
C. Risposta libera

(9) **A.** Risposta libera
B. Risposta libera

Unità 11. Raccontare una storia al presente

(1) *1. Miriam è una ragazza di 27 anni., 2. È insegnante di aerobica., 3. A Genova., 4. È castana, ha gli occhi verdi, è magra ma non è molto alta., 5. Incontra Martino (un ragazzo della sua età)., 6. Miriam è preoccupata., 7. Perché non trova il (suo) portafoglio., 8. Martino ha trovato il suo portafoglio, Miriam lo ringrazia, lo invita a cena (a casa sua). Infine, escono e vanno in un bar insieme.*

(2) Risposte possibili: *Dove lavora Miriam? / Quando lavora? / Dove cerca il portafoglio? / Trova il portafoglio? / Come va in palestra? / A che ora ha lezione? / Perché va velocemente in palestra? / Cose le dice Martino? / Dove ha trovato il portafoglio? / Martino le dà subito il portafoglio? / ...*

(3) *e / ed, ma, perché, (e) allora, Quando, (e) dopo.*

(4) Risposte possibili: **Chi (1° personaggio):** *Miriam, ragazza, 27 anni, ...;* **Chi (2° personaggio):** *Martino, ragazzo;* **Età:** *Miriam, 27 anni - Martino, stessa età;* **Dove:** *in palestra; cosa: Miriam non trova il portafoglio - Martino ha trovato il portafoglio di Miriam;* **Quando:** *oggi (nel pomeriggio);* **Come:** *Miriam incontra Martino.*

Edizioni Edilingua

(5) *1. e, 2. Quando, 3. perché, 4. Allora, 5. ma.*

(6) Risposta libera

(7) Risposta libera

(8) Risposta libera

Unità 12. Raccontare al passato

(1) *1. c, 2. a, 3. e, 4. d, 5. f, 6. b.*

(2) Risposta libera

(3) *A: 1. sono tornata, 2. ho incontrato, 3. abbiamo visitato, 4. sono stata, 5. sei partito; B: 6. sono stato, 7. siamo stati, 8. siamo andati, 9. siete stati.*

(4) *A: 1. sono andato, 2. ho seguito, 3. ho studiato, 4. ho bevuto, 5. sono tornato; B: 6. è tornata, 7. ha avuto, 8. è andata, 9. ha cenato, 10. È arrivata, 11. è andata.*

(5) *A: Ieri Marco e Paolo sono andati all'università, hanno seguito la lezione di Economia, poi hanno studiato per due ore in biblioteca, nel pomeriggio hanno bevuto un caffè con gli amici. Sono tornati a casa alle 8; B: Ieri io e Carla siamo tornate a casa tardi perché abbiamo avuto lezione fino alle 8. Poi siamo andate al ristorante alle 9 e abbiamo cenato con gli amici. Siamo arrivate a casa alle 2 e siamo andate subito a letto.*

(6) Risposte possibili: *1. sei venuta, 2. ho avuto, 3. sono uscita, 4. ho avuto l'esame, 5. ho seguito la lezione di Storia, 6. ho finito, 7. sono tornata, 8. è stata, 9. andare.*

(7) Risposta libera

(8) Risposte possibili: *A: Ieri Ada andava a lavoro in metro ma un uomo le ha rubato la borsa. Allora è andata alla polizia. B: Martedì Paola è andata in stazione per prendere un treno per Roma ma ha sbagliato treno e ha preso quello per Milano. Allora, è scesa alla prima stazione, ha comprato un altro biglietto ed è andata a Roma.*

(9) **A.** Risposta libera
B. Risposta libera

pag. 7: shutterstock; **pag. 8**: shutterstock; **pag. 9**: shutterstock; **pag. 10**: shutterstock; **pag. 11**: shutterstock; **pag. 12**: shutterstock; **pag. 13**: shutterstock; **pag. 14**: shutterstock; **pag. 15**: Facebook; **pag. 16**: www.freedancelecce.it (*foto in alto a sinistra*), www.inpuntadipiedi2.altervista. org (*foto in alto al centro, foto in alto a destra*), www.deviantart.com (*foto in basso a sinistra*), www.inpuntadipiedi2.altervista.org (*foto in basso a destra*); **pag. 18**: shutterstock (*foto a, b, c, d, e*), www.commons.wikimedia.org (*foto f*); **pag. 19**: shutterstock; **pag. 20**: shutterstock; **pag. 21**: shutterstock; **pag. 22**: shutterstock; **pag. 23**: shutterstock; **pag. 24**: www.ilsileno.it (*foto a*), www.commons.wikimedia.org (*foto b*), shutterstock (*foto c*); **pag. 25**: www.delcampe.net (*foto in alto*), www.romeloft.com (*foto in alto*); **pag. 26**: shutterstock; **pag. 27**: shutterstock; **pag. 28**: shutterstock; **pag. 29**: shutterstock; **pag. 30**: shutterstock; **pag. 31**: shutterstock; **pag. 32**: www.commons.wikimedia. org; **pag. 33**: shutterstock (*foto 1, 3, 4*), www.moving2canada.com (*foto 2*); **pag. 35**: shutterstock; **pag. 36**: www.digilander.libero.it; **pag. 37**: shutterstock; **pag. 38**: shutterstock; **pag. 39**: shutterstock; **pag. 40**: www.cosmetici.kalleis.com (*foto 1*), www.parkcitiesdentalcare.com (*foto 4*), shutterstock (*foto 2, 3, 5, 6*); **pag. 41**: shutterstock; **pag. 42**: shutterstock; **pag. 43**: www.pattayacondoguide.com (*foto a*), www.loftimmobiliare.net (*foto b*), www.agenziaimmobiliareabita.it (*foto c*), www.fratelliscotti.it (*foto d*); **pag. 44**: www.www.thrinakie. it (*foto a*), www.immobiliareleville.it (*foto b*), www. news.attico.it (*foto c*), shutterstock (*foto d, foto centrale*); **pag. 46**: www.themodernshop.ca (*foto in alto a sinistra*), shutterstock (*foto in basso a sinistra*), www.natural-living.com.sg (*foto a destra*); **pag. 47**: shutterstock; **pag. 48**: www.sfizipizza.com (*foto in alto a sinistra*), www.inbucatariecudiana. wordpress.com (*seconda foto da destra*), shutterstock (*seconda foto da sinistra, in basso a destra*); **pag. 49**: shutterstock; **pag. 50**: www.la-croix.com (*foto in alto a destra*), shutterstock (*foto in basso*); **pag. 51**: shutterstock; **pag. 52**: shutterstock; **pag. 53**: shutterstock; **pag. 55**: shutterstock (*foto a, b, c, d, g, h*), Blogspot.com (*foto e*), www.techwelike. com (*foto f*); **pag. 57**: shutterstock (*foto 1, 2, 8*), www.adidas.com (*foto 3*), www.amazon.com (*foto 4*), www.sportit.com (*foto 5*), www.deporvillage. com (*foto 6*), www.maggioli.it (*foto 7*); **pag. 58**: www.merrell.it (*foto b*), donna.nanopress.it (*foto d*), www.blaklader.com (*foto f*), www.trekkinn.com (*foto g*), shutterstock (*foto a, c, e, h, i*); **pag. 60**: www.lamedicinaestetica.files.wordpress.com (*foto in alto a sinistra*), blogspot.com (*foto in basso a sinistra*), shutterstock (*foto in alto al centro, foto in basso al centro, foto in basso a destra*); **pag. 61**: shutterstock; **pag. 62**: blogspot.com (*foto in alto a sinistra*), shutterstock (*foto in alto a destra, foto in basso*); **pag. 63**: www.affaritaliani.it (*foto 2, 5*), www.ingrossoregalistica.com (*foto 3*), shutterstock (*foto 1, 4, 6, 7*); **pag. 65**: shutterstock; **pag. 66**: shutterstock; **pag. 67**: shutterstock; **pag. 68**: shutterstock; **pag. 69**: www.unduetre.com (*foto a*), www.grandhotelarenzano.it (*foto b*), shutterstock (*foto c, d, e, i, l, g, n*), commons.wikimedia.org (*foto f*), Blogspot.com (*foto h*), www.newyorknatives. com (*foto m*).

Primiracconti è una collana di racconti rivolta a studenti di ogni età e livello. Ogni storia è accompagnata da brevi note e da originali e simpatici disegni. Chiude il libro una sezione con esercizi e relative soluzioni. È disponibile anche la versione libro + CD audio che permette di ascoltare tutto il racconto e di svolgere delle brevi attività.

Traffico in centro

Traffico in centro (A1-A2) racconta la storia dell'amicizia tra Giorgio (uno studente universitario di Legge) e Mario (un noto e serio avvocato) nata in seguito ad un incidente stradale. Per Giorgio, Mario è l'immagine di quello che vuole diventare da "grande" e per Mario, al contrario, Giorgio è l'immagine del suo passato di ragazzo spensierato e allegro...

Mistero in Via dei Tulipani

Mistero in Via dei Tulipani (A1-A2), una storia coinvolgente, e non senza colpi di scena, che si sviluppa all'interno di un condominio. Tutto inizia con l'omicidio del signor Cassi, l'inquilino del secondo piano: due sedicenni, Giacomo e Simona, decidono di mettersi sulle tracce dell'assassino. Le indagini porteranno i ragazzi a scoprire non solo il colpevole, ma anche l'amore.

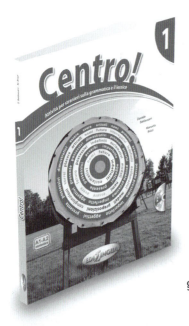

Centro! 1 è un quaderno operativo che offre una molteplicità di tecniche glottodidattiche.

Per ogni attività sono esplicitate la tipologia e il grado di difficoltà: un pallino (•) per le attività più semplici e due pallini (••) per quelle più complesse. Il volume consta di **10 unità** che affrontano uno o più argomenti grammaticali. Le strutture morfosintattiche sono presentate in tabelle chiare e intuitive, di facile consultazione e a cui seguono spesso attività di riflessione per scoprire le regole di funzionamento della lingua.

Il volume, interamenete **a colori** e ricco di immagini, oltre al lessico e alle espressioni idiomatiche, presenta vari riferimenti culturali che permettono allo studente di approfondire non solo le competenze linguistiche ma anche quelle socioculturali.

Primo Ascolto è il primo volume di una serie di moderni manuali di ascolto. Mira allo sviluppo dell'abilità di ascolto e alla preparazione della prova di comprensione orale delle certificazioni linguistiche, quali Celi Impatto e 1, Cils A1 e A2, Plida A1 e A2 e altre simili.

I dialoghi vivi e divertenti, la varietà di immagini e l'impostazione grafica rendono l'apprendimento piacevole e il libro adatto a studenti di varie fasce di età.

I testi affrontano situazioni e argomenti adatti al livello linguistico, nonché atti comunicativi altrettanto utili. Lo studente ha la possibilità di trovarsi a contatto non solo con la lingua viva ma anche con la realtà italiana.

Ciascuno dei **40 testi** è corredato da un'attività preparatoria e una di tipologia simile a quelle contenute nelle prove d'esame di lingua.

Il volume, interamente a colori, ha in allegato il **Cd audio** e può essere usato anche in autoapprendimento, grazie alle **chiavi** in Appendice.